Corajosas

Corajosas

OS CONTOS DAS PRINCESAS NADA ENCANTADAS

ARLENE DINIZ

QUEREN ANE

MARIA S. ARAÚJO

THAÍS OLIVEIRA

Copyright © 2023 por Arlene Diniz, Queren Ane, Maria S. Araújo e Thaís Oliveira

Os textos de referências bíblicas foram extraídos da *Nova Versão Transformadora* (NVT), da Tyndale House Foundation, salvo indicação específica.

Todos os direitos reservados e protegidos pela Lei 9.610, de 19/02/1998.

É expressamente proibida a reprodução total ou parcial deste livro, por quaisquer meios (eletrônicos, mecânicos, fotográficos, gravação e outros), sem prévia autorização, por escrito, da editora.

Cip-Brasil. Catalogação na publicação
Sindicato Nacional dos Editores de Livros, RJ

C794

Corajosas : os contos das princesas nada encantadas / Maria S. Araújo ... [et al.] ; [ilustração Ana Bizuti]. - 1. ed. - São Paulo : Mundo Cristão, 2023.
232 p.

ISBN 978-65-5988-217-5

1. Ficção cristã. 2. Literatura infantojuvenil brasileira. I. Araújo, Maria S. II. Bizuti, Ana.

23-83523 CDD: 808.899282
CDU: 82-93(81)

Meri Gleice Rodrigues de Souza - Bibliotecária - CRB-7/6439

Categoria: Literatura
1ª edição: junho de 2023 | 9ª reimpressão: 2025

Edição
Daniel Faria

Revisão
Natália Custódio

Produção
Felipe Marques

Diagramação
Marina Timm

Colaboração
Ana Luiza Ferreira

Capa e projeto gráfico
Ana Bizuti

Publicado no Brasil com todos os direitos reservados por:

Editora Mundo Cristão
Rua Antônio Carlos Tacconi, 69
São Paulo, SP, Brasil
CEP 04810-020
Telefone: (11) 2127-4147
www.mundocristao.com.br

Para todas as garotas
que não usam coroas,
mas têm coração de princesa.

Sumário

"O que quer que aconteça", disse ela, "não pode mudar uma coisa. Se sou uma princesa em trapos e andrajos, posso ser uma princesa por dentro. Seria fácil ser princesa se eu estivesse vestida com tecido de fios de ouro, mas é um triunfo muito maior ser princesa o tempo todo, sem ninguém saber."

Frances Hodgson Burnett, *A Princesinha*

Espelho do Coração

Arlene Diniz

Bianca

Bianca soltou um suspiro. Não que estivesse contando, mas já devia ter feito isso pelo menos umas vinte vezes aquela manhã, enquanto escutava a voz afetada de Flávia analisando as combinações de roupas em frente ao grande espelho da sala de estar.

A madrasta insistiu que a menina participasse da sessão provador que armara em casa naquele sábado, e embora comprar roupas fosse a última coisa em que Bianca estivesse pensando àquela altura, decidiu ir. Mas levou Bob junto e assim se distraía, ora jogando coisas para o *shih-tzu* de pelos brancos e caramelo pegar, ora amassando o bicho em abraços e beijos carinhosos. Divertir-se com o cãozinho parecia-lhe muito mais atraente do que ficar assistindo enquanto Flávia admirava a própria imagem no espelho.

— Ficou deslumbrante! — a *personal stylist* repetiu pela centésima vez. A mulher de cabelo loiro batido na nuca era dona de uma boutique de roupas importadas e, sempre que solicitada, levava sua mercadoria para a linda e imponente residência dos Neves. Flávia não gostava de ter que andar pelo calçadão da cidade para ir até a loja e portanto, ainda que precisasse pagar caro, continuaria tendo seu conforto garantido.

— Você não vai experimentar nada? — Flávia virou-se para Bianca e olhou com desgosto para Bob, que brincava aos pés dela.

— Ah, não, obrigada. Já tenho o suficiente.

Do alto do seu salto de quinze centímetros, Flávia colocou o reluzente cabelo ondulado atrás da orelha e encrespou os lábios enquanto analisava Bianca de cima a baixo.

— Querida, você sabe que algumas roupas não estão mais cabendo em você, certo?

Bianca fechou os braços sobre a barriga na mesma hora.

— Elas parecem boas para mim — deu de ombros, tentando disfarçar o rosto que enrubescia. Ela devia ter imaginado que Flávia implicaria com seu peso. De novo.

— Do jeito que anda comendo, enquanto suas amigas vão desfilar em vestidos colados na formatura, nem uma cinta bem apertada vai dar jeito em você.

As lágrimas subiram como jatos aos olhos de Bianca, mas a menina conseguiu controlá-las antes que, mais uma vez, Flávia tivesse a oportunidade de dizer que ela era muito dramática por chorar na frente dos outros. Sem responder, levantou-se e foi para seu quarto. Bob foi atrás. Quando ainda subia as escadas, ouviu a madrasta gritar:

— Seu pai chegará de viagem amanhã! Ele quer almoçar conosco ao meio-dia.

Bianca continuou rumando para o segundo andar e, ao entrar pela primeira porta à direita, fechou-a com cuidado atrás de si.

Por que o pai não ligou para ela? Por que não enviou sequer uma mensagem dizendo que voltaria no dia seguinte? Ele estava fora havia duas semanas, e sua comunicação com a filha se resumiu em dois curtos e rápidos "Oi, filhota! Tudo bem? Bom dia (ou boa noite)" via mensagem de celular.

Rodolfo era um homem muito ocupado. Construíra, com muita força de vontade e algumas boas oportunidades pelo caminho, um império de plantação de maçãs no interior de Santa Catarina. Saíra da faculdade de agronomia com um pedaço herdado de terra

e um sonho no coração. Ele e Lúcia — mãe de Bianca, que havia se formado em engenharia química no mesmo ano que Rodolfo e com quem se casou logo após a formatura — ganharam calos nas mãos por muitos anos até que pudessem ver a empresa Reino das Maçãs comercializando a fruta e seus derivados por todo o Brasil, e até fora do país. Bianca sentia muito por sua mãe não poder estar lá para ver aonde a empresa à qual havia dedicado tanto suor conseguiu chegar.

Sentando-se na cama ainda desarrumada, a menina deparou com a própria imagem refletida no espelho do outro lado do quarto. Analisou como a blusa que havia comprado poucos meses antes estava justa. Apertou os braços, um tanto roliços, e suspirou. Algumas espinhas estouravam na pele branca como papel, e o cabelo *chanel* preto estava cheio e precisando de uma boa hidratação. Como foi que tivera a ideia de cortar o cabelo tão curto? Ah, sim. Flávia tinha dito que favoreceria seus traços.

A menina de 17 anos jogou-se na cama e tomou nas mãos um porta-retrato da mesinha de cabeceira. Com cuidado, passou os dedos pela fotografia detrás da película de vidro.

— Ah, mamãe, por que você foi me deixar? — Bianca soprou para a foto de uma bela mulher de cabelos negros e olhar sorridente. De repente, a imagem no espelho não importava mais. A dor que enchia seu coração naquele instante era mais tenaz, mais profunda... a dor da solidão.

Fazia meia hora que o pai de Bianca havia chegado. A costela de cordeiro mal tinha sido posta à mesa e o homem levantou-se para atender um telefonema. Bianca olhava com tristeza as ondas de calor se dissipando às pressas do alimento.

— Vi que esta semana vai haver um evento beneficente no centro da cidade — disse Flávia após tanto silêncio. — Poderíamos ir juntas.

— Vou estar ocupada — respondeu Bianca.

— Até na quinta-feira à noite? Depois do evento pensei em dar um pulo no restaurante vegano que abriu aqui perto.

— Não gosto muito de comida vegana — respondeu Bianca, virando-se para Rodolfo, que retornava com Bob brincando com a barra de sua calça. — Vai passar a semana em casa, pai?

— Oh, meu bem, infelizmente não. Quarta de manhã embarco para Floripa. Tenho algumas reuniões com os distribuidores da cidade.

— Mas você vai chegar até sábado, não vai?

— Sábado... por quê? — Rodolfo começou a colocar a comida no prato e Flávia o acompanhou. Bianca olhava para o pai sem piscar.

— A reunião da ONG. Está marcada faz um mês, pai.

— Puxa, vai ter que ficar pra próxima. Negócios são negócios, filha.

Bianca prendeu os lábios com força. Sabia que tinha ficado vermelha. Seu rosto ardia como fogo. Mas, de todo modo, não tinha importância. Seu pai nem parecia ter percebido.

— Para que é essa reunião mesmo? Algo sobre uma doação, não é?

A menina empertigou-se e, como que vendo uma esperança no fim do túnel, começou a falar:

— Lembra daquele salão onde mamãe costumava dar aulas? Tem infiltrações no teto, e o revestimento da parede está despedaçando. Estamos traçando algumas ações para conseguir reformar. Mas a reunião não vai ser só para isso. Também queremos discutir com os colaboradores sobre a festa de vinte anos da ONG, que vai acontecer ano que vem.

Rodolfo bebeu um gole de suco de uva.

— De quanto precisam?

— Não sei ao certo. Isso vai ser tratado na reunião.

— Informe-se então. Eu transfiro o valor.

Bianca abriu a boca, mas desistiu de falar no segundo seguinte. Apenas agradeceu e tirou sua comida. Ela queria, mais do que tudo, que seu pai participasse da reunião, não que desse dinheiro de forma impessoal só para cumprir o papel de responsabilidade social de sua empresa.

Sua mãe havia gastado tanto suor naquela ONG! A *Sonhar* ficava numa comunidade na entrada da cidade, lugar onde Lúcia cresceu. Foi ali que sua mãe teve aulas em um pré-vestibular gratuito que lhe rendeu uma vaga na universidade federal, onde conheceu Rodolfo.

Lúcia nunca se esquecera de suas raízes. Ainda na faculdade, toda semana dava aulas de reforço na ONG. E assim continuou até sua morte. Mesmo com o crescimento da empresa e tantas novas responsabilidades como mãe e empresária, Lúcia dizia que nunca poderia deixar de servir a Deus com aquilo que dele recebera. A estrutura do lugar foi aperfeiçoada após as generosas quantias que ela passou a ofertar, e Rodolfo continuou as doações por respeito à memória da falecida esposa. E por Bianca ficar sempre em seu pé.

Desde que aprendeu a pegar condução sozinha, a menina ia à *Sonhar* toda semana. Já fizera de tudo um pouco por lá: desde lavar banheiro até dar aulas de culinária. No momento, coordenava o coral infantil todos os sábados. Geralmente, esse era o seu ponto alto da semana. O dia em que ela se sentia alegre, animada... como se de fato pertencesse a algum lugar no mundo.

Terminado o almoço, Flávia pediu que a cozinheira trouxesse a sobremesa. Bianca abriu um sorriso de orelha a orelha quando o cheirinho adocicado chegou à mesa.

— O que é que você fez? — a madrasta perguntou com raiva à funcionária, que fechou o sorriso no mesmo instante.

— A torta de maçã que Bianca pediu.

Flávia girou com força o pescoço em direção à menina.

— Você pediu torta de maçã?!

— Sim. Eu amo torta de maçã, o papai ama e...

— Sua mãe também amava? — Flávia completou a frase com amargura. Rodolfo franziu a testa para a esposa, que rapidamente soltou um riso nervoso. — Ah, é que a gente já vê tanta maçã o tempo todo... Suco de maçã, compota de maçã, doce de maçã, a própria maçã...

— Tenho certeza que Bianca não lembrava que você não gosta muito dessa torta, Flávia — respondeu Rodolfo, pegando um bom pedaço da sobremesa. Bianca sorriu, não tão certa de que isso fosse verdade.

— E então, como andam os preparativos para a convenção da empresa? — Rodolfo mudou o assunto, perguntando à esposa. — Estou pressionando os gerentes de produção para que os novos produtos fiquem prontos a tempo.

— Estão indo de vento em popa. Em breve vou enviar um relatório com tudo que tenho planejado. Vai ser um evento inesquecível! — respondeu Flávia, e os dois gastaram bons minutos falando sobre a convenção que acontecia de dois em dois anos na empresa Reino das Maçãs.

— Quando vai ser? — Bianca quis saber.

— Último final de semana de junho. Daqui a um mês — Flávia replicou e logo voltou-se para Rodolfo, com quem continuou conversando. Até quando, Bianca não sabia. Deixou a mesa sorrateiramente e subiu para o quarto, onde uma pilha de artigos científicos a aguardava.

Gotas de suor acumulavam-se na testa de Bianca. Abanou-se com uma folha de caderno dobrada e apertou em "voltar" na caixa de som mais uma vez. Era sábado à tarde. Ela estava havia uma hora no abafado salão principal da ONG ensaiando o coral de crianças.

— Vamos lá! — ordenou.

Todo o grupo, que conversava desatento, ficou a postos outra vez. Seguindo a música, puxaram o ar para iniciar a primeira estrofe. Mas pararam com as bocas abertas e logo murcharam como bexigas quando a melodia trepidou e desapareceu junto com a bateria da caixa de som.

— Não acredito! Esqueci o carregador. E agora?! — exclamou Bianca, desolada. As crianças começaram a falar ao mesmo tempo.

— Pede para o tio Edu tocar pra gente! — uma vozinha se sobressaiu, e logo todos endossaram a sugestão. Bianca abriu um sorriso amarelo e, sem ter muito o que fazer, mandou uma mensagem para o amigo. Dois minutos depois, Edu, que havia terminado fazia poucos minutos sua aula de violão na sala ao lado, apareceu pelo salão com o instrumento nas mãos e um sorriso maroto no rosto moreno.

Seus olhos castanhos sempre amigáveis brilharam quando as crianças gritaram seu nome. O garoto passou a próxima hora tocando perfeitamente a música que havia acabado de aprender.

Bianca ficou admirada, mas decidiu não fazer nem ao menos um rápido comentário positivo. Sabia o que a aguardava assim que o ensaio terminasse.

— Estou esperando — Eduardo ergueu as sobrancelhas logo que a última criança deixou a sala.

— Esperando o quê? — ela girou os olhos.

— Você admitir que eu sempre tenho razão.

— Isso foi uma infeliz coincidência — justificou Bianca enquanto guardava a caixa de som na mochila. Eduardo lhe tinha dito, na semana anterior, que ela precisava levar o carregador, porque "vai que um dia a bateria acaba no meio do ensaio". A menina deu de ombros, dizendo que a bateria daquela caixa durava dias.

— E quando eu avisei que a coxinha da padaria do Giba não era confiável e você comeu mesmo assim? E passou mal por dias? Coincidência também?

Ela deu um tapa no braço dele e sorriu, mas logo continuou a arrumar suas coisas para ir embora. Edu franziu as sobrancelhas.

— Está tudo bem? — perguntou ele.

— Sim — ela deu de ombros.

— Xi... esse *sim* pareceu meio duvidoso.

Bianca suspirou, ponderando se compartilhava ou não com Eduardo mais uma página de seu drama familiar. O garoto era seu amigo desde que se encontraram pela primeira vez na entrada da ONG, cinco anos antes.

Na época, a menina de longos cabelos pretos estava sentada em um canto, observando ao redor, quando Edu, que saía da aula de *jiu-jítsu* com um cheiro forte de adolescente suado, correu até ela e apresentou-se, apertando sua mão. Bianca fez uma careta, limpando a mão pegajosa de suor na calça, e soltou um "eca!" bem alto. Ele pediu desculpas e soltou uma risada.

Desde então, nunca mais se separaram.

— É meu pai. Viajou de novo — decidiu, por fim, falar. — Não vai estar na reunião daqui a pouco.

Edu mordeu o lábio inferior. Parecia não saber bem o que dizer. Já devia estar com vergonha de toda vez tentar fazer a amiga olhar pelo lado positivo.

— Talvez a *Sonhar* não seja tão importante para seu pai quanto era para sua mãe e é para você, Bianca — ele expressou sua opinião e pareceu se arrepender no segundo seguinte. — Ou talvez sejam só os compromissos inadiáveis de trabalho mesmo! O senhor Rodolfo é um homem muito ocupado...

— Não precisa tentar consertar o que disse, Edu. Você sempre tem razão, não é verdade? — Bianca abriu um sorriso triste, e Eduardo engoliu em seco. — Mas me diz, como anda a faculdade? — ela mudou o assunto, percebendo como o amigo havia ficado constrangido.

— Ah, o de sempre. Muito estudo e projetos para fazer. Ontem fiquei sabendo que o escritório onde faço estágio vai completar mais um ano de funcionamento e os donos estão planejando uma festa para daqui a duas semanas. Parece que vão premiar os melhores estagiários no dia.

— Que legal, Edu! Espero que você se divirta muito.

— Eu... acho que não vou.

— Por que não? Com certeza você vai ser premiado!

— Você vai me achar um bobo... — o rosto dele ruborizou levemente.

— Uma vez a mais, uma vez a menos... — Bianca brincou e Edu soltou uma risada.

— É que o pessoal lá é bem chique, sabe? Se já uso as minhas melhores roupas para ir ao estágio, eu vou com o que para a festa?

Bianca apertou o canto dos lábios ao observar o amigo. Eduardo era a pessoa que ela mais admirava no mundo. O rapaz de

19 anos tinha crescido com a mãe e os dois irmãos mais novos numa casa pequena quase ao lado da ONG. Estudou muito para conseguir uma vaga na faculdade de arquitetura e vendia doces que ele mesmo fazia a fim de complementar os gastos com os materiais do curso, que era em tempo integral. Como ele ainda arrumava espaço para ajudá-la e dar aulas de violão voluntariamente na *Sonhar*, Bianca não fazia ideia.

— Posso dar um jeito nisso — replicou ela, já imaginando a resposta. Não deu outra. Os olhos de Eduardo foram aumentando, até quase pularem das órbitas.

— Não, Bianca, não me olhe com essa cara. Eu não vou aceitar. Você sabe.

— Deixa de ser orgulhoso! Seria apenas um pagamento por toda ajuda que você me dá com a pesquisa.

— Se eu ajudasse você esperando algo em troca cobraria honorários. — Edu levantou as sobrancelhas com veemência. — Falando nisso, você já teve algum avanço?

— Não. Ainda estou tentando ler os artigos daquela bioquímica alemã. Passei a semana toda debruçada sobre eles. Estão escritos em inglês e eu não entendo lá muita coisa, principalmente alguns termos técnicos — Bianca suspirou. — Como me arrependo de não ter levado meu curso de inglês a sério!

— Eu arranho alguma coisa na língua, posso tentar traduzir.

— Com que tempo, Edu? Você mal consegue respirar no dia a dia. Não posso te dar mais esse trabalho.

Cerca de um ano antes, Bianca começou a revirar algumas pastas arquivadas no computador que pertencera à sua mãe e descobriu algo que fez com que sua admiração pela progenitora crescesse ainda mais. Lúcia planejava, antes do acidente que seis anos atrás lhe tirara a vida, lançar uma linha de produtos recicláveis feitos a partir dos resíduos da casca da maçã — que era jogada

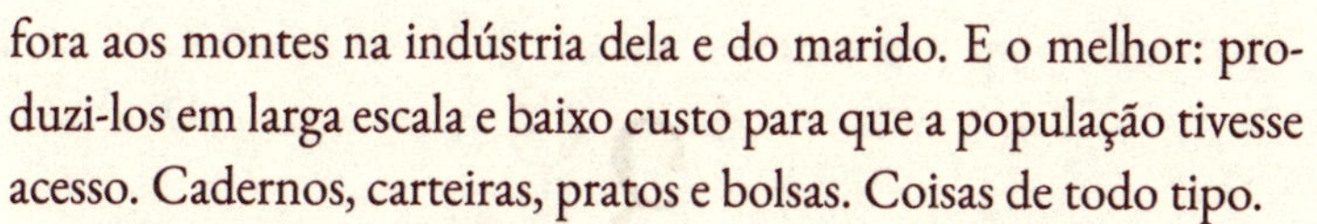

fora aos montes na indústria dela e do marido. E o melhor: produzi-los em larga escala e baixo custo para que a população tivesse acesso. Cadernos, carteiras, pratos e bolsas. Coisas de todo tipo.

Bianca segurou as lágrimas quando percebeu que não dera tempo de a pesquisa ser concluída — nem sequer tinha chegado à fase de testes. Mas, naquela nublada tarde de domingo, a menina nunca teve tanta certeza de algo na vida: entraria na universidade em um curso que a possibilitasse terminar as pesquisas da mãe.

Contudo, enquanto ainda não tinha idade para isso, seguiria pesquisando o que pudesse por ela mesmo — e, sempre que podia, contava com a ajuda de Edu, que apesar de estudar algo totalmente diferente na faculdade, sempre a ajudava de bom grado.

— Ei, vocês dois! A reunião já está começando! — Valéria, a diretora da ONG, que se recusava a pintar os crescentes cabelos brancos, apareceu na porta.

— Estamos indo, Vavá. Já terminamos por aqui — respondeu Eduardo e, olhando para Bianca, disse: — Manda os artigos para o meu *e-mail* quando chegar em casa. Mais tarde vou ter algumas horinhas livres e consigo ler.

Ela abriu um sorriso e assentiu, agradecida. Os dois se apressaram para alcançar Valéria e, sem combinar, cada um passou um braço sobre o ombro da mulher, que apesar de pulso firme era como uma mãe para todos os jovens da *Sonhar*. Vavá sorriu e abraçou os dois, conduzindo-os à reunião.

Na manhã de domingo, Bianca terminava de depositar migalhas de pão ao longo do parapeito da varanda de seu quarto quando ouviu a voz do pai. Os pássaros, que todos os dias marcavam ponto ali logo cedo, começavam a se aproximar cantando. Mas, desta vez, Bianca não ficaria para lhes fazer companhia.

Abriu a porta e viu o pai terminando uma ligação no corredor.

— Oi, filha. Acabei de chegar. Tudo certo?

Bianca o abraçou e contou sobre a reunião da ONG no dia anterior. Vendo que seu pai não parecia muito interessado, mudou de assunto:

— Vai trabalhar hoje? Poderíamos almoçar depois que eu chegar da igreja.

— Flávia fez uma reserva para nós dois em um restaurante. Fica pra próxima.

Bianca murchou feito uma flor após um dia sob o sol quente, deu as costas para o pai e pouco depois o ouviu dizer:

— Acho que não deve ser difícil pedir mais uma cadeira.

Ela girou nos calcanhares e sorriu, os olhos brilhando de entusiasmo.

Após meia hora e inúmeras tentativas de se arrumar, Bianca desceu as escadas vestida com o que deu. Nenhuma roupa parecia se adequar direito ao corpo dela. Mas pelo menos ia sair com o pai após a escola dominical. Não conseguia lembrar a última vez que saíra para algum lugar com ele.

Depois de uma manhã agradável com Edu e outros amigos na igreja, Bianca voltou para casa. Entrou na sala e percebeu Flávia observando a si mesma no enorme espelho da sala de estar. Projetava biquinhos com os lábios e fazia expressões sedutoras quando viu Bianca chegar. Quase caiu do salto.

— Garota! Assim você me mata do coração! — Flávia colocou a mão no peito. Bianca pediu desculpas. — Pensei que estivesse na igreja.

— Acabei de chegar, mas já vou sair.

— Aonde vai?

— Ao mesmo lugar que você.

A madrasta observou a menina como se ela tivesse dito a coisa mais horrorosa do mundo.

— Meu amor, esqueci de mencionar que chamei Bianca para nos acompanhar no almoço de hoje. — Rodolfo chegou emanando seu perfume por todo o lugar. — Tem problema?

— Nenhum, querido. — O rosto vermelho de Flávia parecia querer dizer outra coisa. — Ótima maneira de comemorar quatro anos de casamento... — ela resmungou baixinho. Bianca fingiu não ter ouvido.

Alguns minutos mais tarde, os três se sentaram à mesa sob um deque em um restaurante requintado. Bianca comeu um prato que não saberia pronunciar o nome caso alguém perguntasse, e até conseguiu desenvolver uma conversa ou outra entre as ligações que o pai atendia. Nesses momentos, em que ele falava com fornecedor fulano ou empresário beltrano, Flávia continuava com cara de quem tinha bebido suco de limão sem açúcar. No fim da quarta ligação, Rodolfo mal se sentou à mesa e a mulher começou a falar, antes que Bianca conseguisse retomar o assunto sobre o salão em que sua mãe dava aula na ONG.

— Meu amor, a lista de convidados para a convenção da empresa está praticamente completa. E vários jornalistas já entraram em contato para garantir entradas!

— Que bom. Como anda a programação?

— Perfeita. Vão ser dois dias, o primeiro para apresentar a Reino das Maçãs, nossos números de venda e alcance de mercado e anunciar a nova linha de produtos. O segundo dia será para abrir as inscrições para o programa de *trainees* e emplacar novas negociações. Além, é claro, de anunciar aquela megasurpresa. — Flávia sorriu com empolgação e Bianca franziu o cenho. O que seria?

Flávia havia sido da mesma turma que Lúcia na universidade e coordenava a área de controle de qualidade na Reino das Maçãs. Além de fazer questão de estar à frente na organização de todos os eventos, é claro. Rodolfo confiava muito nela. Com desgosto, Bianca pensou que talvez fosse por isso — e pelo fato de Flávia ser em geral a mulher mais bonita nas redondezas em qualquer lugar que ela estivesse — que o pai tivesse se interessado por ela, afinal.

Bianca nunca se deu muito bem com Flávia. Pelo menos não desde quando seu pai a levou em casa pela terceira ou quarta vez e disse que agora aquela mulher seria a nova “mamãe” da menina.

As semanas seguintes passaram em um piscar de olhos. Rodolfo, apesar de não estar viajando, passava praticamente o tempo todo na empresa. Flávia o acompanhava, agitando o necessário para

o evento que se aproximava. Bianca gastava seu tempo entre a escola, a ONG e a igreja, e continuava debruçada sobre o projeto da mãe.

Numa sexta-feira à tarde, a menina zapeava pelas redes sociais enquanto não dava a hora de Eduardo chegar. Após o amigo traduzir dois artigos de quinze páginas cada, ela insistiu que ele fosse à sua casa para que a ajudasse com mais um texto. Bianca percebeu que ele demonstrou pouco entusiasmo com a ideia, ainda que a tenha aceitado.

Ela sorriu, nervosa. Edu teria uma surpresa e tanto.

Algum tempo depois, a menina desceu os degraus em disparada quando ouviu o interfone tocar. Bob correu atrás dela com altos latidos. Bianca abriu a porta e o sorriso de Edu ia de um lado a outro.

— Eu já disse o quanto o arquiteto que planejou essa casa fez um bom trabalho? — ele entrou na enorme sala de estar da residência dos Neves olhando tudo em volta.

Bianca riu.

— Já. Todas as vezes que veio aqui, para ser mais exata.

— Seu pai e Flávia estão?

— Meu pai em casa? É, esse milagre acontece, mas não vai ser desta vez ... — ela soltou um suspiro. — E, Flávia, bem, ela anda bastante ocupada nos últimos tempos por causa da convenção da empresa.

— Eles sempre apresentam novas linhas de produtos nesses eventos, não é? — perguntou Eduardo, fazendo carinho em Bob.

— Quase sempre. Desta vez parece que repaginaram todo o *design* das embalagens e vão apresentar o suco de maçã com uma nova fórmula. Além de uma tal megasurpresa.

— Daqui a alguns anos a sua linha de produtos recicláveis é que vai roubar a cena nesse evento — incentivou Edu. Bianca riu nervosa. — Seu pai sabe? Sobre a sua pesquisa e tudo o mais?

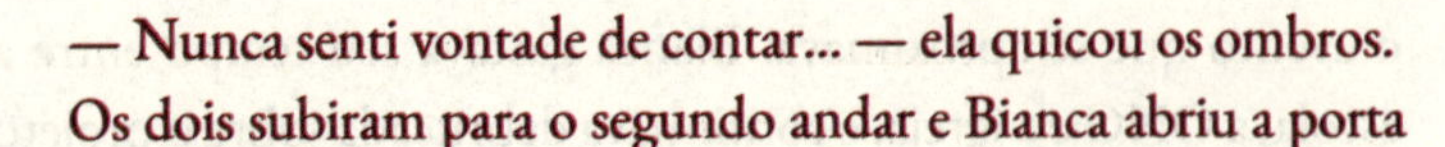

— Nunca senti vontade de contar... — ela quicou os ombros.

Os dois subiram para o segundo andar e Bianca abriu a porta de seu quarto.

— Vem cá rapidinho. Quero te mostrar uma coisa — disse ela, tentando esconder a empolgação.

Eduardo hesitou.

— Por que está plantado aí igual a uma árvore? — perguntou ela.

— É que... bem... você está sozinha e... não quero que pensem coisas...

Bianca deu uma gargalhada que fez Eduardo baixar os olhos, sem jeito.

— A funcionária aqui de casa está ali embaixo, pode ficar tranquilo.

O embaraço de Edu logo deu lugar ao desconforto quando os olhos dele repousaram sobre a cama da amiga.

— O que é isso? — perguntou ele.

— A ajudinha que eu falei que ia te dar. A festa do estágio vai ser amanhã à noite, não vai?

Eduardo balbuciou, sem conseguir formar uma frase aceitável enquanto fitava o conjunto *blazer* azul-escuro disposto em cima da cama. Bianca aguardava com expectativa.

— Por que... por que você fez isso? — questionou Edu, constrangido. — Eu disse que não queria ajuda nenhuma.

— Olha, eu sabia que você rejeitaria a ideia. Por isso vai ser como um empréstimo, ok? Eu pedi a uma *personal stylist* que sempre está aqui em casa vendendo roupas para a Flávia, e ela combinou que você poderia usar o terno por uma noite e depois devolver. Não é incrível?

— *Personal stylist?* — Edu fez uma careta.

— É uma pessoa que entende de moda, estilo, sabe?

A expressão dele mostrava toda a resposta.

Bianca estalou a língua.

— Deixa pra lá. Me diz o que achou!

Eduardo passou a mão pelo cabelo curto e, olhando para o lado, engoliu em seco. Bianca sabia que o amigo detestava depender de favores.

— Edu, não é vergonha aceitar ajuda de quem se importa com você.

Ele encheu o pulmão e soltou o ar aos poucos.

— Tudo bem. Só vou aceitar porque talvez eu ganhe o prêmio dos estagiários e...

— Talvez? Eu tenho certeza! — Bianca gargalhou, animada por ele ter aceitado. — Experimenta para vermos se vai precisar de ajustes.

Edu pegou as roupas e, antes de sair pela porta para ir ao banheiro, virou-se com os lábios esticados em um sorriso terno.

— Obrigado.

Minutos depois, Eduardo estava de volta ao quarto com um sorriso de orelha a orelha.

— Ficou perfeito! Você escolheu o tamanho exato!

Bianca sorriu como se aquilo tivesse sido muito fácil para ela.

— Agora vamos dar uma lida naquele artigo? — perguntou ele.

— Ah, não tem artigo nenhum. — Bianca deu um tapa no ar. — Precisava de uma desculpa para te entregar o terno.

Edu riu, as bochechas corando.

— Não ia tomar ainda mais o seu tempo com essa pesquisa — disse ela, e acrescentou rapidamente: — Não agora, pelo menos.

— Eu sempre vou arrumar um tempo para você, Bianca.

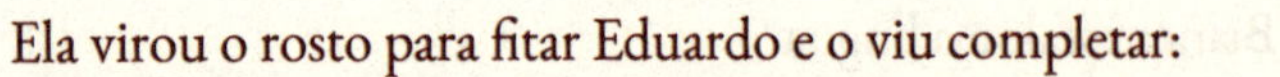

Ela virou o rosto para fitar Eduardo e o viu completar:

— É para isso que servem os amigos, não?

Bianca concordou, incerta do motivo de ter se sentido nervosa de repente. Para disfarçar, ela o convidou para uma volta no jardim e os dois passaram um bom tempo jogando conversa fora. Quando se preparava para ir embora, Eduardo pigarreou.

— É... bem... fiquei sabendo esta semana que cada pessoa vai poder levar um acompanhante à festa e andei pensando... será que você gostaria de ir comigo?

O chiclete que Bianca vinha mastigando foi parar na garganta e a garota começou a tossir, desesperada. Eduardo bateu nas costas dela e lhe ofereceu sua garrafa de água. Ela bebeu um gole após conseguir cuspir a goma e agradeceu. Os dois ficaram em silêncio por um minuto.

— A ideia de ir comigo pareceu tão absurda assim? — Edu franziu a testa.

— Não! Não é isso... é que... pensei que talvez você fosse levar a sua mãe. Ou alguma garota.

Eduardo sorriu e, ignorando a parte da "garota", respondeu:

— Eu tentei convencer minha mãe. Mas ela disse que essas coisas de "gente chique" não combinam com ela. E como você é minha melhor amiga, imaginei que talvez ficasse com pena de mim e aceitasse — riu. — E será que um *brownie* me ajudaria a te convencer? — Edu tirou uma embalagem de dentro da mochila e estendeu à amiga. Bianca não podia resistir. O *brownie* que Eduardo fazia era o melhor.

— Tudo bem. Eu vou com você!

Assim que Edu foi embora, Bianca saltitou até a cozinha, cantarolando. Amava cantar e fazia isso com maestria quando se sentia feliz. Sentou-se à bancada de mármore e abocanhou um pedaço do delicioso "*brownie* do Edu".

— Você não fez um bolo de amendoim ontem? — Flávia entrou na cozinha carregando um amontoado de pastas e documentos no braço. Bianca aquiesceu.

— E não tem mais nada. — A mulher estreitou os olhos, fitando a boleira. — Você comeu aquilo tudo sozinha?

Bianca parou com a boca aberta, cheia de *brownie* por mastigar. Alguns segundos depois, justificou:

— Eu dei alguns pedaços para o Luiz, o jardineiro, levar para as filhas dele.

— E deu um fim em todo o resto?

Bianca encolheu-se sob a banqueta. Flávia estalou os lábios enquanto pegava seu suco de gengibre na geladeira.

— Do jeito que está indo, nenhum garoto vai querer você.

Bianca sentiu o estômago bater no pé. Piscando sem parar, de repente notou um ímpeto crescer dentro de si.

— Edu me convidou para ir a uma festa com ele amanhã!

Flávia soltou um riso amargo.

— Então é melhor aproveitar. Se for aquele que eu vi indo embora agora com uma capa de terno nas mãos, deve chover na horta dele. Se não ficar esperta, outra vem e rouba o garoto rapidinho.

— Edu é meu amigo!

— Então por que está tão vermelha? Amigos não se importam com a aparência das amigas. — Flávia saiu devagar da cozinha e antes de passar pela porta, disse: — É melhor você correr logo atrás de um vestido. Não é fácil encontrar um do seu tamanho.

Bianca ficou parada, fitando o resto do *brownie* nas mãos. De supetão, atirou-o no lixo e correu para o quarto, sentindo um aperto na garganta. Parou em frente ao espelho do guarda-roupa e, respirando ruidosamente, encarou a si mesma. Ela nunca seria bonita como Flávia. Nunca alcançaria o corpo modelado das influenciadoras famosas da internet. Nunca teria uma pele sedosa como as meninas de sua sala.

Sem conseguir conter as lágrimas, Bianca soprou para sua imagem refletida:

— Espelho, espelho meu, existe alguém mais... *feia* do que eu?

Os bipes distantes foram ficando cada vez mais altos, até finalmente despertarem Bianca por completo. A menina tateou procurando o celular para desativar o alarme, quando seus olhos se arregalaram de súbito. Alerta, pegou o aparelho. Oito da noite. Seis chamadas perdidas. Quatro mensagens.

Havia desmarcado o ensaio com o coral naquele sábado e dormido a tarde inteira — e, pelo que descobria naquele momento, uma parte da noite. Tinha ficado trancada no quarto praticamente desde a tarde anterior e, em vez de procurar um vestido para ir

à festa com Edu, decidiu que ele ficaria melhor sem ela. E não fez questão de avisá-lo sobre isso.

Enquanto olhava para as diversas interrogações nas mensagens do amigo, o celular começou a vibrar. Demorou-se para atender.

— Bianca, cadê você?

— Hum... estou... em casa.

— Mas a gente marcou sete da noite! Estou esperando há um tempão!

Ela suspirou.

— Estou morrendo de vergonha sozinho aqui. Os outros estagiários trouxeram companhia e estou plantado na porta igual ao segurança desde o começo. Sem contar que cheguei cedo e...

— Eu não vou, Edu.

Bianca ouviu apenas a respiração dele.

— Passou pela sua cabeça me informar sobre isso um pouco mais cedo? — perguntou ele, controlado.

— Eu não encontrei um vestido adequado e...

— Essa desculpa você não pode dar.

— Mas, Edu...

— Boa noite, Bianca. Preciso procurar uma cadeira vazia em alguma mesa. — E desligou.

Ela sentiu os olhos arderem e enrolou-se nas cobertas, chorando até cair no sono outra vez.

Na manhã seguinte, Bianca ponderou se iria à escola dominical. Edu provavelmente estaria lá. Ele nunca faltava. Decidiu ficar em casa. Enrolada em uma manta após espalhar os farelos para os pássaros no parapeito da varanda, seguiu para a sala de tevê. Talvez

assistisse a algum filme ou documentário. No caminho, porém, viu a porta do quarto do pai e da madrasta entreaberta. Espiou de longe e estava vazio. Provavelmente haviam saído para resolver alguma coisa.

Sem entender bem por que estava fazendo aquilo, Bianca empurrou a porta e começou a caminhar pela suíte perfeitamente decorada. Havia, numa mesa ao canto, uma pilha de papéis. "Convenção da empresa", pensou. E decidiu dar uma olhada. Enquanto folheava os documentos, porém, viu uma bonita caixa lilás na estante ao lado e a abriu. Bianca sentiu-se péssima ao vasculhar o conteúdo do que parecia um baú de memórias da Flávia. Havia fotos, flores secas, entradas antigas de cinema, papéis dobrados, diários e alguns álbuns de fotos. Mesmo ouvindo a culpa soprar em sua mente, abriu um dos diários. Já que estava ali...

Em meio às letras esgarranchadas, viu uma garota desconhecida em algumas fotos soltas. Era levemente estrábica, usava óculos com as lentes fundas e parecia mais corpulenta que Bianca. Em quase todas as fotografias, havia algo escrito na parte de trás:

Hoje Ernesto disse que eu sou horrorosa e minha mãe falou que não posso reclamar quando as pessoas falam a verdade.

Será que um dia vou ser bonita?

Rê disse que nenhum garoto nunca vai olhar para mim.

Numa das fotos a garota estava abraçada com outra mais alta e esbelta que Bianca identificou de imediato: era a Rê, irmã mais velha de sua madrasta.

Bianca ouviu um barulho no andar de baixo e rapidamente guardou a caixa. Saiu do quarto às pressas e entrou na sala de tevê. Com a certeza caindo sobre ela como um manto, sussurrou:

— Aquela era a Flávia.

E ficou pensando nisso um bom tempo.

Bianca havia demorado mais do que o necessário para se arrumar aquela manhã. A verdade é que não estava com vontade de ir para o segundo dia da convenção da Reino das Maçãs. O primeiro dia havia sido chato, cheio de bajulações dos funcionários. Sem contar que durante esses eventos ela costumava ficar um pouco pra baixo também. Sua mãe, que ajudara a criar tudo aquilo, sequer era lembrada. Flávia, por sua vez, caminhava de um lado para o outro como uma rainha.

Queria que Edu estivesse ali, fazendo-lhe companhia. Mas como? Ela não falava com ele desde que faltara à festa, duas semanas antes. Chegava em cima da hora e deixava a ONG mais cedo para evitar encontrá-lo, e na igreja se acomodava em algum cantinho distante. Não trocaram uma única mensagem nesse tempo. O máximo de comunicação foi um bilhete de "obrigado" colado à capa do terno que Edu mandou entregar na casa dela.

Caminhando em volta das mesas de quitutes, Bianca assistia enquanto Flávia discursava sobre as vantagens de negócios com a empresa. Rodolfo não estava ali no momento. Precisou ir às pressas resolver um problema na sede da Reino das Maçãs — a conferência acontecia em um salão de eventos no centro da cidade — e a programação ficou inteiramente sob a responsabilidade de Flávia.

Ela palestrou, mostrou vídeos, tornou a falar e o público já começava a ficar disperso. Estava visivelmente enrolando para que o marido chegasse a tempo do início da tal "surpresa" reservada para a tarde do último dia. Após um *coffee break* e inúmeras ligações pelos cantos, a mulher, cheia de importância — mas que no fundo, Bianca percebeu, parecia nervosa —, prosseguiu sem Rodolfo.

A menina pensou que devia ter acontecido algo bem sério na empresa para que o pai ainda estivesse lá, mas não se importava muito. Jogava alguns amendoins na boca e atualizava o *feed* do Instagram, quando o barulho de palmas a fez erguer os olhos. No pequeno palco, o telão mostrava uma frase que a fez perder toda a cor do rosto.

Reino das Maçãs e a Iniciativa Socioambiental:
Produtos recicláveis feitos a partir dos resíduos da casca da maçã

Sem piscar, Bianca sentiu como se o cabo de energia fosse desconectado de seu corpo. As pernas tremeram e ela precisou se esforçar muito para entender o que Flávia dizia por sobre as batidas altas de seu coração.

— ... uma pesquisa realizada com muito afinco e dedicação. Foram longos anos de estudos e testes até chegarmos aqui. É com grande alegria que anunciamos a primeira linha de produtos da Reino das Maçãs feita inteiramente a partir das cascas de nossa matéria-prima!

O auditório explodiu em aplausos e aclamações enquanto Flávia apontava para uma mesa que era trazida ao palco com bolsas, *ecobags*, garrafas e cadernetas.

— Eu, como idealizadora e engenheira química responsável pela pesquisa, gostaria de agradecer a cada um dos apoiadores que possibilitaram...

Bianca tentava pensar com clareza, mas ouvir aquela mulher tomando todo o crédito por algo que sua mãe havia criado lhe subiu à cabeça.

— Ei, Flávia! — gritou. Todos viraram-se para a menina, inclusive a madrasta. O coração de Bianca parecia querer sair pela boca. — Quando vai anunciar quem criou e deixou a metade dessa pesquisa pronta antes de você pegá-la como se fosse sua?

Cochichos encheram o salão. Flávia começou a pedir a atenção dos presentes e se desculpar pelo "engano", mas os repórteres já não queriam saber da mulher. Correram para Bianca e, ansiosos, faziam milhares de perguntas. Só naquele momento a garota percebeu o estrago.

Nervosa, desvencilhou-se deles e correu para uma sala reservada à equipe de apoio. Antes que saísse por uma porta lateral e desse o fora dali, Flávia entrou na sala com um olhar que poderia perfurar Bianca a qualquer instante.

— Você se acha muito superior, não é, garota?

Bianca ergueu as sobrancelhas, cada nervo de seu corpo estremecendo.

— Acorda! Isso aqui é o mundo dos adultos, onde tudo que você faz tem uma consequência! — berrou a madrasta.

— Você tomou o projeto da minha mãe!

— Olha aqui, você não sabe nada sobre isso. É uma garota mimada e ridícula. Vai lá chorar em cima da lápide da sua mãe, porque ela não está mais aqui! Vê se entende isso de uma vez por todas! — Flávia vociferou a poucos centímetros do rosto de Bianca. A garota queria gritar, queria responder que a mãe sempre estaria viva em seu coração, mas não teve forças. A única coisa que queria era ir para bem longe dali. E foi.

Bianca sabia exatamente a expressão que Valéria — a tão amada Vavá — faria assim que a visse. Não era sábado. E, em vez de apertar a campainha da ONG, ela estava apertando a da casa da diretora, que ficava duas ruas à frente. Mas Bianca não conseguiu pensar em outra pessoa com quem pudesse desabafar. Assim que Vavá abriu o portão e a surpresa tomou seu rosto, Bianca entrou na varanda narrando tudo que havia acontecido quase sem respirar. Quando chegou à parte da discussão com Flávia, não conseguiu segurar as lágrimas. Vavá colocou o braço sobre os ombros da menina, levando-a para dentro da casa. Entraram na sala de estar e Bianca ainda parecia longe de terminar suas lamentações quando ergueu a cabeça e deparou com seis pares de olhos fitando-a com curiosidade.

Sobre o tapete no meio da sala, as outras visitas formavam um círculo. Eram senhoras como Vavá, algumas com cabelos brancos, outras com os fios tingidos. Algumas usavam coque e saia até os joelhos.

Bianca travou os pés, mortificada, e ia virando-se para ir embora quando uma delas foi ao seu encontro, puxou suas mãos e a levou até o sofá.

— Eu acho que você está precisando de um belo chocolate quente! — disse, dando palmadinhas nas mãos da menina.

— Eu faço! — outra senhora gritou e correu para a cozinha.

— Vou pegar um pedaço do bolo delicioso que a Dulce trouxe — uma mulher baixinha se prontificou.

Em poucos instantes, Bianca era paparicada por quase todas elas, que ofereciam um novo quitute a cada momento.

— Nós deveríamos estar orando! — disse uma senhora de cabelos praticamente brancos com as feições carrancudas. Bianca riu sem graça.

— Desculpe, eu atrapalhei a reunião de vocês...

— Se Deus enviou você aqui na hora do nosso círculo de oração, é porque ele tem um propósito — respondeu Vavá.

— E, pelo que pudemos ouvir, as coisas não parecem muito bem, não é, querida? — perguntou a senhora que a levara para o sofá.

Bianca observou o grupo à sua volta. Tirando a velhinha sisuda e uma outra que tirava um cochilo na poltrona ao lado — e acordava assustada de vez em quando —, todas pareciam bem interessadas em sua história. E, sem entender bem por que fazia aquilo, abriu o coração.

Após meia hora contando tudo e mais um pouco sobre sua vida, Bianca sentiu-se mais leve.

— As pessoas só oferecem aquilo que elas têm — disse a senhora que Bianca identificou como sendo Dulce. — Essa sua madrasta, a Flávia, deve ter muita amargura no coração, e portanto é apenas isso que ela tem para oferecer.

Bianca balançou a cabeça concordando.

— E, às vezes, também pode agir por um mecanismo de defesa — observou Vavá. — Pelo que percebi, você quer que a sua mãe tenha o mesmo espaço na família que tinha antes de falecer. E, apesar de a Flávia ter de respeitar tudo que a Lúcia significou, agora ela é a dona da casa.

— Vavá! Logo você, que foi amiga da minha mãe, vai defender essa mulher?! — indignou-se Bianca.

— Não é defesa, é bom senso. E isso é uma coisa que sua mãe tinha de sobra.

O rosto da menina estava tão vermelho que era capaz de explodir a qualquer instante.

— Só estou pedindo que você reflita. Olhe para os dois lados. Nem sempre estamos cem por cento certos. — Vavá tocou a cabeça dela com carinho. — Algumas pessoas são difíceis de amar, Bianca. Mas nós também somos.

Ela abriu a boca para reclamar. Vavá, porém, continuou:

— Todos são falhos e muitos carregam feridas malcuidadas.

— Mas eu perdi a minha mãe!

— Ah, menina, assim como eu e essa tal Flávia, você erra sempre e Deus não continua te amando e perdoando? — resmungou a senhorinha carrancuda.

— É, só que...

— Filha — disse uma das que observava atenta ao diálogo. Ela ainda não havia falado nada, mas volta e meia precisava ir à varanda quando começava uma crise de espirros. O nariz vermelho indicava o resfriado. — Cristo entende suas dores, porque ele mesmo as sofreu. O pesar pela perda da sua mãe ainda é bem forte em você, pelo que dá para notar. Mas esse lugar na alma onde a dor lateja, só Jesus pode sarar. E ele é capaz de transformar nosso sofrimento em algo bonito.

A enxurrada de conselhos invadia o coração de Bianca e fazia uma bagunça incômoda. Havia muito tempo ela não ouvia sobre Deus — apesar de sempre ir à igreja, seu coração parecia, de alguma forma, distante. E agora estava ali, com a estranha sensação de que precisava ouvir mais.

Entretanto, em vez de continuarem falando, as irmãs decidiram colocar em ação o que tinham ido fazer ali. Bianca se uniu a elas de mãos dadas e, após as orações, percebeu suas emoções bem mais equilibradas. As senhoras se despediram e, enchendo Bianca de beijos, abraços e palavras de fé, saíram pelo portão, deixando para trás uma gostosa sensação de conforto.

— Cadê o Eduardo? — Vavá perguntou assim que ficaram a sós. — Vocês estão sempre juntos.

Bianca deu de ombros.

— Nós meio que brigamos.

— Por quê? — Vavá pareceu muito surpresa.

Bianca contou a parte que tinha deixado de fora mais cedo: a festa, as palavras ácidas de Flávia na cozinha e a ligação de Edu.

— E você deixou de ir a essa festa por que razão?

— Não sei bem. Acho que por vergonha de mim mesma. — Os olhos de Bianca se encheram d'água. Vavá suspirou fundo e saiu da sala. Bianca não questionou aonde ela ia, mas gostou de ficar um tempo sozinha com os próprios pensamentos. Depois de alguns minutos a mulher voltou com um envelope grosso nas mãos e tirou uma fotografia de dentro.

A menina reconheceu na hora. Era sua mãe na foto. E a mulher ao lado com certeza era Vavá, alguns bons anos mais jovem.

— É de quando sua mãe começou a frequentar a *Sonhar*, que ainda nem tinha esse nome. Parece que foi há séculos — disse ela, estendendo a imagem para Bianca. — Quero que perceba uma coisa. Olhe para o cabelo de Lúcia. E para as roupas.

Bianca analisou por algum tempo. Sua mãe tinha um corte de cabelo esquisito, os fios indefinidos e armados, como se um ninho estivesse sobre sua cabeça. A bermuda larga estava presa à cintura por um cinto rosa-choque, e o blusão amarelo parecia ter sido tomado do seu pai, tão grande era.

— Meio brega, né?

— Era a moda quando sua mãe tinha sua idade. — Vavá sorriu. — Se hoje alguém aparecesse com esse cabelo na sua escola, o que as pessoas iriam fazer?

— Rir e zombar muito!

As duas riram.

— Viu como os padrões mudam? — perguntou Vavá. — E essa história de "padrão" é uma palhaçada, para começo de conversa. Tentam colocar na cabeça da gente a todo custo que só é bonito quem tem o nariz assim, o cabelo assado, o peso até certo número...

Bianca sentiu uma pontada.

— Deus é criativo, minha filha. E ele fez você. Fez bilhões de mulheres diferentes. Você acha que um padrão igual é realmente o mais importante? Sai dessa! Ele não fez uma fôrma onde a gente tem que caber a qualquer custo, não.

Bianca olhava para Vavá sem piscar.

— O que faz você ficar feia é o pecado, e não umas gordurinhas a mais. Da próxima vez que a Flávia falar algo assim sobre você, diga isso a ela. E, pelo amor, não tome palavras azedas como verdade!

A menina passou o restante do dia com Vavá. Ignorou todas as ligações do pai, mas, quando Vavá demorou um bom tempo no banheiro e as ligações cessaram, ela já imaginou o que devia ter acontecido. As duas fizeram bolo, viram um pouco de tevê e, antes de dormir, Bianca analisou a bagunça que sua vida tinha se tornado. Resolveu então que não havia melhor dia do que o "hoje" para acertar as coisas com Deus.

Bianca acordou leve no dia seguinte. De um jeito que não se sentia havia muito tempo. Sabia que o momento que tivera com Deus na noite anterior era o responsável por isso. Foi até a sala de estar e avistou um bilhete de Vavá avisando que estava na ONG, mas que voltaria antes do horário de almoço. Tomou o café da manhã e percebeu que havia louça suja na pia. Ergueu as mangas e, após lavar tudo, percebeu que o seu "obrigada" a Valéria poderia ser mais efetivo. Ligou uma *playlist* bem alta e, depois de procurar os produtos de limpeza, começou a faxinar tudo que via pela frente.

Uma hora mais tarde, quando fazia do tubo de lustra-móvel seu microfone após limpar a estante, Bianca foi interrompida em seu *show* particular pelo toque do *smartphone*.

Engoliu em seco ao colocar os olhos sobre a tela. Era seu pai. Sentou-se no sofá, trêmula. Não poderia ignorá-lo para sempre. O que ele diria? Somente naquele momento o peso do que fizera no meio da conferência da empresa do pai pareceu lhe pesar o coração.

— Alô?

— Bianca Neves, venha já para casa! — gritou ele.

— Eu acho que preciso de mais uns dias...

— Mais uns dias? Você tem ideia do desespero que eu senti até a Valéria me avisar que você estava na casa dela?

Bianca afastou o celular enquanto ele berrava.

— Desculpe, mas você sabe por que eu fiz aquilo, não sabe? Pai, aquele projeto que a Flávia apresentou era...

— Da sua mãe. Sim.

O choque fez o queixo de Bianca cair.

— Você sabia?

— Claro, Bianca. — Rodolfo soava cansado.

— Não acredito! — Ela sentiu como se tivesse sido apunhalada pelas costas.

— Filha, você está agindo como uma criança. O que fez na convenção foi muito irresponsável!

— Você não entende.

— E você precisa crescer!

— Pai, sabe por que eu quero entrar na área de exatas ou biológicas na faculdade? Sabe por que há mais de um ano eu estudo artigos acadêmicos até em outras línguas? Porque meu sonho era retomar o projeto da mamãe!

Antes que o pai a enchesse de explicações sem sentido, Bianca jogou o celular no sofá e saiu correndo portão afora. Precisava de um colo para chorar. Precisava de Vavá. Disparando entre as pessoas na rua, desviando de bicicletas, cachorros e carros, ela só queria chegar à ONG.

Os olhos turvos d'água, a voz do pai repetida como um *looping* em sua mente — "Claro, Bianca" — a distraiam do mundo à sua volta. Avistou a placa da *Sonhar* e cruzou a rua apressadamente. Só percebeu que não tinha olhado para os lados quando o barulho alto de uma buzina ecoou no mesmo momento em que era arremessada com força contra o asfalto.

Uma música agradável tocava ao longe. Parecia convidar Bianca à paz e ao descanso. Sentia o desejo de ficar ali aproveitando a melodia que se tornava cada vez mais alta, até perceber que não se tratava de um sonho. Abriu os olhos devagar. Tudo ao redor estava embaçado. Tentou focar o olhar e percebeu alguém dedilhando o violão na poltrona perto dela.

— Minha querida! Você acordou! — Ouviu uma voz familiar vinda do outro lado do quarto, que agora identificava como sendo de um hospital. Vavá apressou-se em sua direção. — Que susto a senhorita nos deu!

Já ia perguntar como tinha ido parar ali, mas a voz de Edu chegou aos seus ouvidos primeiro.

— Você está sentindo dor em algum lugar?

Bianca virou-se para ele e nunca pensou que sentiria tanta alegria ao ver o amigo.

— Estou perdoada, então?

— Não era eu que estava fugindo... — Ele abriu o sorriso e Bianca sentiu o coração bater com mais velocidade. "Que estranho", pensou ela.

— Vou avisar à enfermeira que você acordou — disse Edu, deixando o quarto. Vavá colocou a mão sobre a dela.

— Menino bom, o Eduardo. Ele estava chegando para uma aula extra de violão na hora que você foi atropelada. Ligou para a ambulância, fez uma barreira para que ninguém ficasse em cima de você enquanto esperávamos o socorro, ligou para o seu pai avisando sobre o ocorrido... Eu não estava em condições de fazer nada disso. Quase tive um ataque cardíaco quando vi você espatifada no asfalto! — Os olhos dela encheram-se de lágrimas. — Ele tocou o tempo todo desde que entramos aqui.

— O som me ajudou a acordar — Bianca sorriu, admirada. — Eu fui atropelada pelo quê?

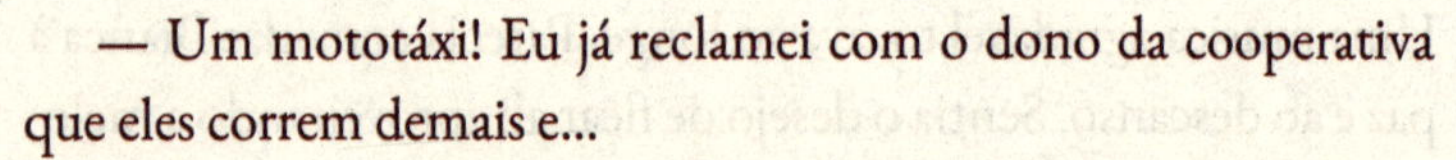

— Um mototáxi! Eu já reclamei com o dono da cooperativa que eles correm demais e...

Um baque vindo da porta fez as duas erguerem os olhos. Rodolfo entrava no quarto pálido como uma folha de papel.

— Eu não sabia. — Rodolfo, sentado à beira da maca, suspirou. Depois que a enfermeira verificou Bianca, Vavá e Edu decidiram dar privacidade aos dois e foram à cantina do hospital. — Não fazia ideia que você planejava continuar os estudos da sua mãe.

— E como poderia saber? Você às vezes parece um estranho em casa. Um estranho na minha vida... — Bianca desviou o olhar, chateada. Só se voltou para o pai quando soluços quebraram o silêncio.

Rodolfo segurava a boca com o punho fechado, mas era impossível disfarçar. O coração de Bianca bateu forte.

— Quando sua mãe morreu, nós não estávamos numa boa fase. Eu só pensava em aumentar os lucros da empresa, e Lúcia queria que passássemos mais tempo juntos em família. Eu prometi a mim mesmo, no dia do velório, que ia mudar. Dar mais tempo a você... — A essa altura Rodolfo chorava copiosamente. — E, mais uma vez, falhei.

Bianca abriu a boca, num misto de raiva e compaixão, mas não disse nada. As lágrimas chegaram antes que qualquer palavra. E, enquanto ambos choravam cada de um de seu lado, Bianca percebeu a fragilidade do homem à sua frente. Cada soluço dolorido informava à menina que o pai era tão falho quanto qualquer outro. Tão falho quanto ela mesma.

Imagens de ocasiões em que havia desfeito de Flávia, que havia falado mal dela para os outros, que havia feito questão de lembrar de sua mãe para que a madrasta não se sentisse dona de nada em casa inundaram a mente de Bianca... Flávia era difícil. Mas ela também era.

— Ainda dá tempo de mudar, pai. — Bianca chamou Rodolfo para mais perto e o abraçou. Ele retribuiu, beijando-lhe o alto da cabeça.

— Eu te amo.

Os dois ficaram ali por uns minutos, curtindo a presença silenciosa um do outro, até Rodolfo dizer que chamaria o médico para saber quando poderia levar a filha para casa.

Mais tarde, Vavá e Edu se despediram. Bianca precisaria passar a noite em observação. No dia seguinte pela manhã, após deixar o hospital com um braço enfaixado, Bianca entrou em casa com o pai. Flávia estava na sala de estar e levantou-se ao ver os dois.

— Acho que está na hora de resolvermos as coisas — começou Rodolfo, sério. Bianca sentiu um frio na espinha. Os três se sentaram nos sofás e Bob, muito alegre, se alojou no colo da dona. Parecia o único tranquilo por ali. — Quero ouvir das duas o que exatamente aconteceu. Filha, comece.

Após um instante de silêncio e sem fitar Flávia, Bianca começou a narrar o ocorrido na convenção. Quando chegou à parte do que a madrasta havia falado — e que deflagrou sua fuga desesperada —, ergueu o olhar. Os olhos de Flávia estavam vidrados de nervosismo. Bianca continuou:

— Então eu entrei na sala do apoio, Flávia veio atrás de mim e...

A mulher parecia prender o ar.

— ... saí correndo. E fui para a casa da Vavá.

A madrasta mirou Bianca com os dois olhos bem arregalados. E o choque logo se misturou com certa... admiração? Flávia ficou

vermelha e gaguejou por uns instantes, como se tivesse que mudar tudo o que havia planejado dizer.

— Não quis chatear você, Bianca. Não fazia ideia que você conhecia o projeto da sua mãe. Me desculpe.

Bianca pensou que, se o pai não estivesse ali, talvez Flávia não fosse tão cordial. Mas o que importava era que ela parecia estar se esforçando também. A menina aceitou as desculpas e pediu perdão após ouvir o pai explicar que o nome de Lúcia constava no projeto, junto com uma homenagem na última página da apresentação de *slides* que Bianca havia interrompido.

— E, se você quiser, posso te levar ao laboratório em que fizemos os testes, na linha de produção... para que fique por dentro de tudo.

Bianca assentiu, agradecida pela proposta.

Após o almoço, Bianca ainda sentia as coisas estranhas entre ela e a madrasta. Não parecia estar tudo resolvido. Munindo-se de toda coragem que conseguiu reunir, chamou-a assim que o pai foi tomar banho.

— Flávia, por que a gente vive nessa guerra velada?

A madrasta pareceu muito surpresa.

— A gente não vive...

— Vivemos, sim — Bianca interrompeu.

Flávia suspirou e puxou uma cadeira da bancada de mármore da cozinha.

— Obrigada por aquilo — disse apontando com a cabeça para a sala onde tinham conversado mais cedo. — Nem sei como Rodolfo teria reagido ao saber que falei aquilo pra você... Ele te ama muito, sabe, seu pai.

Bianca observou o olhar baixo e triste de Flávia e lembrou-se da conversa com Vavá. Algumas coisas pareciam tão claras agora.

— Flávia, ele também ama você. São amores diferentes, é claro, e é por isso que tem espaço para os dois. Eu não preciso tomar o seu lugar, e nem você o meu.

Flávia engoliu em seco. O que Bianca disse parecia ser o tipo de coisa que Flávia guardava a sete chaves dentro de si. O tipo de coisa que dificilmente alguém admite que sente. Mas está lá, influenciando suas ações e seus pensamentos.

— Você nunca me deixou entrar na sua vida... nunca me deixou fazer parte. — As mãos de Flávia tremiam.

— É, eu sei.

As duas ficaram em silêncio por um tempo.

— Desculpe pelo que falei na convenção. Foi muito insensível — Flávia disse, por fim.

Bianca aquiesceu.

— Eu... eu prometo não ficar falando mais da minha mãe o tempo todo, tá? E, bem, eu também gostaria que você parasse de criticar o meu peso e a minha aparência. Aquilo que você me disse, sobre eu nunca conseguir um garoto bacana e tal, me fez mal.

Nesse instante Bianca se lembrou das fotos que vira na caixa de Flávia.

— E sabe de uma coisa? Eu acho que temos que pegar as coisas ruins que aconteceram com a gente e transformá-las em algo bom. Não reproduzi-las sem pensar.

O rosto de Flávia ficou vermelho como um pimentão. Sussurrou mais algumas desculpas e as duas se abraçaram, meio sem jeito.

A madrasta deixou a cozinha e Bianca ficou ali, sentada, olhando para o teto com uma expressão contemplativa no rosto. Era bom abrir o coração com humildade para tentar resolver problemas. Não dizem por aí que a conversa é um ótimo remédio?

— Minha filha, essas compotas de maçãs foram feitas por anjos! — exclamou dona Dulce, logo após Bianca entregar uma embalagem com vários produtos da Reino das Maçãs para cada irmã do círculo de oração. Naquela semana, ela comparecera como convidada e não como invasora. E curtiu tanto! As senhoras oraram por ela, cantaram louvores e agora compartilhavam os quitutes que cada uma havia levado.

Bianca foi à cozinha com Vavá para ajudá-la a passar patê em pãezinhos artesanais. O cheiro estava divino. Bianca surrupiou um recém-tirado do forno e soprou antes de jogá-lo na boca.

— Edu esteve aqui ontem — disse Vavá. — Arrumou umas calhas que estavam vazando ali na varanda.

— Ele é um grande faz-tudo mesmo. — Bianca riu.

— Como estão as coisas entre vocês? Tudo acertado?

— Ah, sim...

— Ih... o que houve? Mesmo depois de tudo que ele fez por você no dia do acidente a amizade não voltou ao normal?

— Depois me passa a receita desse patê? É uma delícia...

— Não entendo!

— Tenho certeza que você usou gorgonzola. E orégano também — disse Bianca, testando o sabor.

Vavá colocou uma mão na cintura.

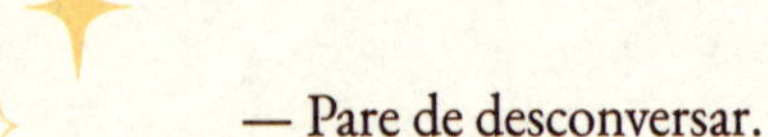

— Pare de desconversar.

— Não estou...

— Desembucha de uma vez! O que há entre você e o Edu?

— Nada! Não há nada entre nós! O que poderia haver entre nós? — Bianca estava tão vermelha e soava tão aflita que Vavá soltou uma gargalhada.

— Já entendi.

A menina ficou ainda mais corada.

— Entendeu o quê?

Vavá mirou-a com olhar maternal.

— Edu é meu melhor amigo! Não me vejo algum dia casando com ele... — Bianca esbugalhou os olhos. Por que falou de casamento? De onde tirou aquilo?

— E você vai casar com um inimigo, por acaso?

A menina ficou ainda mais constrangida. Será que todo aquele nervosismo tinha um motivo? Um motivo cheio de borboletas no estômago como as que ela sentia agora?

Desde que havia sentido o coração bater mais forte ao ver Edu no hospital, Bianca vinha se questionando sobre seus sentimentos. Sempre admirou Eduardo. Sempre o amou. Como amigo, é claro. Porém, na última semana ela não deixara de, de repente, ver todas as qualidades que fariam dele um par sem igual.

Vavá puxou uma cadeira ao lado dela e segurou suas mãos.

— Oh, querida... minha falecida mãe, que Deus a tenha, sempre me disse: seja amiga do rapaz antes de namorar com ele. Conheça-o bem. Veja se teme ao Senhor. E, muito importante: ele trata bem a mãe? É como tratará você. — Vavá soltou um breve suspiro. — Eu observei muito bem cada um desses conselhos e escolhi o Sebastião.

Bianca engoliu em seco. Sebastião havia sido um homem incrível, sempre sorridente e trabalhando com muito afinco na *Sonhar*.

— Vivi anos lindos servindo a Deus e a comunidade ao lado dele — Vavá continuou, saudosa. — Fique de olhos bem abertos, menina. Às vezes a bênção está bem na nossa cara e nós não vemos.

Bianca abriu e fechou a boca várias vezes. E quando estava enfim juntando a voz para responder, a porta da cozinha escancarou-se de repente.

— Meu lindo! Você chegou bem em tempo. — Vavá levantou-se indo abraçar Eduardo com um sorriso. Bianca sentiu vontade de se esconder na despensa.

— Oi, Bianca — cumprimentou ele, com o sorriso aberto.

Um frio percorreu seu estômago. Será que... bem, tudo que Vavá disse fazia muito sentido. Bianca notou que suas mãos suavam.

— Eu mal via a hora de encontrar você. Preciso contar uma coisa muito legal! Estou doido para te dizer desde a festa, Bianca, mas como ficamos um tempo sem nos falar e esta semana eu não quis te perturbar com assuntos meus...

Ela começou a ficar tensa.

— Desembucha logo!

— Lembra que na festa do escritório eles iriam premiar os melhores estagiários? Eu era um deles.

Bianca soltou uma risada.

— Eu te falei! Eu sabia!

Edu sorriu, parecendo ansioso.

— E, bom, o prêmio era um...

Aumento de salário? Emprego garantido no fim da graduação?

— Intercâmbio no Canadá!

Bianca fitou os olhos escuros de Edu, petrificada. Depois de alguns segundos, percebeu que precisava falar alguma coisa.

— Ah! Sério? Que legal... que... incrível. O que você vai fazer lá? Por quanto tempo?

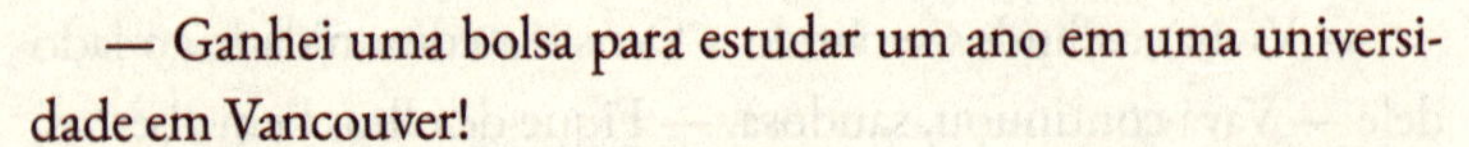

— Ganhei uma bolsa para estudar um ano em uma universidade em Vancouver!

Enquanto Edu narrava animado o que viveria no Canadá, Bianca tinha a sensação de estar derretendo sobre a cadeira. Agora que tinha percebido que... "Ah, deixa pra lá", pensou ela. Estava sendo egoísta. E forçou-se a sorrir, incentivar e fazer um milhão de perguntas ao amigo.

Pouco mais de um ano depois...

O coração de Bianca parecia uma escola de samba. Passou as mãos pelo vestido preto mais uma vez e segurou a pequena bolsa, tensa. Seu pai parou o carro quase em frente à ONG para que ela entrasse enquanto ele procurava uma vaga. Flávia dava a centésima olhada no espelho do painel, verificando a maquiagem. Era a primeira vez que a madrasta pisaria na *Sonhar*.

Bianca desceu do carro e precisou se concentrar para não se desmanchar em lágrimas ali mesmo. Eduardo estava parado em frente ao portão, de terno azul-marinho, muito parecido com o que ela havia emprestado para ele mais de um ano antes. O sorriso do rapaz se abriu e Bianca percebeu que não precisava de muita cerimônia. Era o Edu! Seu melhor amigo havia anos! Claro, um pouco diferente... Talvez mais bonito, até. Os ares canadenses certamente haviam feito bem a ele.

Bianca correu equilibrando-se nos saltos e Edu correu ao mesmo tempo. O abraço parecia querer descontar todo o ano que ficaram sem se ver.

— Que saudade! Que saudade! — Edu repetia. E, antes que pudesse reprimi-las, as lágrimas de Bianca já molhavam o terno dele. — Desta vez você não vai me deixar escolher um lugar vazio numa mesa qualquer, né? — ele riu.

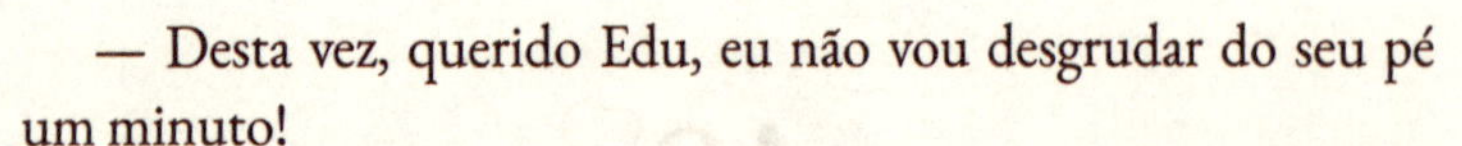

— Desta vez, querido Edu, eu não vou desgrudar do seu pé um minuto!

De braços dados, os dois entraram no grande salão principal da *Sonhar*. O teto estava brilhando com a tinta recém-aplicada e nas paredes não havia nenhuma infiltração. Os balões dourados ao fundo anunciavam os vinte anos da ONG, e a comunidade e os patrocinadores enchiam o lugar.

Apesar de Bianca já saber cada detalhe do que acontecera com Edu durante o intercâmbio — afinal, conversavam sempre que podiam pelo celular —, ela adorou escutá-lo contar para seu pai e Flávia, na mesa em que se sentaram, as maiores dificuldades e alegrias que passara no último ano.

Após o jantar bem servido e o discurso emocionante de Vavá, luzes translúcidas brilharam no salão, convidando os presentes à pista de dança. Edu, sem pensar duas vezes, puxou Bianca pela mão — mesmo sob os protestos dela. Um grupo de jovens, que alcançava a pista ao mesmo tempo que eles, se aproximou, e passaram a conversar e dançar todos juntos uma música animada.

No meio da segunda música, Bianca olhou em direção ao lugar em que agora o pai e Flávia conversavam com Vavá e sentiu um afago no peito. O último ano havia sido, desde que perdera sua mãe, o melhor. As implicâncias da madrasta diminuíram muito, e Bianca se dispôs a ser melhor também. O pai cumprira — não cem por cento, mas ninguém é perfeito, não é mesmo? — a promessa de ser mais presente. E fazia alguns meses que Bianca havia ingressado na faculdade de engenharia.

Apesar de tudo estar indo bem, ela sabia que o motivo de seu contentamento era algo... maior. A gratidão cobria seu coração como um confortável cobertor. A gratidão por saber que tinha um lugar no mundo, que não estava sozinha. E isso, ah, isso não dizia respeito a algo que ela pudesse segurar com as

mãos. Dizia respeito a Quem a amparava nos braços. Todos os dias da sua vida.

Bianca voltou os olhos para Edu, que dançava todo empolgado — e um tanto esquisito —, e sorriu. Ele pareceu notar seu olhar no momento em que uma música mais lenta começou a tocar. Os casais começaram a se unir e Bianca cruzou os braços, desviando a vista para o outro lado. Segundos depois, sentiu alguém puxar suas mãos com delicadeza. Edu as colocou nos ombros dele e pediu permissão para segurar a cintura dela.

Transpirando mais que o normal, Bianca tentou agir com tranquilidade. Lembrava a si mesma de todas as orações que havia feito. De todas as vezes que entregou a Deus os sentimentos mais profundos de seu coração e, enfim, aprendeu a descansar. Não nutrira falsas expectativas durante aquele tempo — encontrou um jeito de ser apenas a amiga de longe. Mas agora, olhando diretamente para os olhos castanhos mais amáveis que já tinha visto na vida... não sabia se conseguiria continuar tão próxima dele como sempre fora.

— Bianca — disse Edu baixinho. — Eu venho orando por algo há um tempo...

A boca dela ficou seca. "Minha nossa! Será possível...?"

— E agora que estou de volta, gostaria de saber se você...

— Por favor, preciso que todos os voluntários da *Sonhar* venham tirar uma foto agora! — A voz de Vavá ecoou pelo recinto e os dois piscaram, parecendo acordar de uma realidade paralela. Bianca deu a mão a Edu e sentiu que os dedos dele estavam frios e molhados de suor, como os dela. Ignorando tudo ao redor, a menina observou Eduardo com atenção.

Quando ela sussurrou "sim", o sorriso dele pareceu iluminar o salão inteiro.

E o dela também.

A Princesa e Seu Sonho

Queren Ane

Tati

Prólogo

Sonhe com muita fé no coração, minha princesa, mas lembre-se: o sucesso a gente só alcança com trabalho duro.

As palavras de papai eram minha âncora desde os meus dez anos de idade, quando tomei para mim o sonho que era dele: ser *chef* e um dia ter meu próprio restaurante.

Naquela época eu era apenas uma menininha sonhadora que olhava para as estrelas e fazia pedidos, crendo que eles um dia se tornariam realidade. Descobri, anos mais tarde, que sonhos só se tornavam reais com muito trabalho duro. Papai estava certo, afinal. Era preciso persistência e esforço.

Cresci observando meu pai cozinhar com alegria e prazer, sempre ávida para aprender a cozinhar como ele. E papai, com muita paciência e amor, estava sempre disposto a me ensinar.

Animado, dedicado, talentoso, assim era meu pai. Um homem que amava e se doava sem pedir nada em troca. Nunca conheci alguém como ele. Tão bom e que fazia tudo com paixão contagiante. Ele me ensinou tanto... ah, ele realmente fazia falta.

Fazia três anos que ele não estava mais comigo. Todavia, eu mantinha acesa as minhas lembranças e o seu sonho. O *nosso* sonho. Algum dia, eu seria uma *chef* renomada e teria o próprio restaurante.

Por isso, eu me esforçava muito para dar um grande passo rumo a carreira que eu desejava: entrar para o programa do Instituto de Gastronomia do Rio de Janeiro, meu único objetivo.

O curso custava caro. A IGR, afinal, era uma das mais famosas escolas de culinária no país. É verdade que o instituto tinha um programa de bolsa de estudos para alunos formados na rede pública. No entanto, era apenas uma vaga por curso. Somente uma — e muito disputada. Para concorrer a essa vaga seria necessário terminar o ensino médio — o que eu faria no final do ano —, ter uma boa nota no Enem e fazer uma prova prática demonstrando as habilidades culinárias. Essa era a parte que eu mais temia e, ao mesmo tempo, aquela pela qual eu mais ansiava.

Cozinhar era minha paixão, e eu queria mostrar o quanto era talentosa. Mas, no fundo, havia aquele medo de não ser boa o bastante para o instituto e não obter minha tão sonhada bolsa integral.

Era por isso que, além de me dedicar para tirar uma excelente nota no Enem, eu juntava todas as minhas economias para o caso de não conseguir a bolsa. Ao menos eu esperava poder pagar pelo curso.

Entretanto, eu sabia bem que mesmo juntando toda minha grana, ou melhor, o que eu podia separar do meu salário, talvez não desse para fazer o curso no ano seguinte. Pensar nisso me entristecia, porque eu queria muito entrar para o programa em janeiro. Batia um desânimo... mas eu tratava logo de espantar a emoção. A determinação fazia parte de quem eu era, o que me tornava muito obstinada.

Desistir? Jamais! Eu continuaria me esforçando até conseguir o que tanto desejava.

O relógio de ponto marcava sete e cinco da noite quando pressionei meu indicador no leitor digital. O aparelho cuspiu meu comprovante do dia, que rapidamente enfiei no bolso traseiro do *jeans*. Respirei mais uma vez o típico cheiro de café fresco que impregnava todo o salão.

Nunca me cansava daquele aroma. Era o meu segundo favorito — o primeiro sempre seria o de alecrim tostando no fundo da panela.

Minha memória olfativa fez meu estômago roncar de fome. Esperava a hora de chegar em casa e comer algo mais substancial que *croissant* de queijo e chá gelado. Porém, ainda levaria quase três horas para eu ir embora, já que depois de terminar meu expediente no café eu fazia um extra no Fadas *Shake*.

— Ei, Tati! — Júlia, minha colega barista, me chamou do outro lado do balcão enquanto eu ajeitava a mochila no ombro. — Vamos juntas hoje? O Paulo não vai conseguir me buscar. — Ela fez um beicinho, lamentando o fato de não poder ir de carona com o namorado. Dei um aceno para ela e falei que nos encontraríamos após seu expediente no café acabar e eu sair do meu extra.

Me despedi de Júlia e do restante do pessoal. Do lado de fora, senti o bafo quente da noite. Nem dava para acreditar que havia chovido a semana inteira. O clima no Rio de Janeiro era maluco mesmo, pensei, mas eu adorava minha cidade.

Como o *shopping* a céu aberto não era muito grande, andei rapidamente até o outro lado da praça de alimentação onde o charmoso *food truck* azul-bebê estava estacionado.

Quando minhas férias de julho iam começar e surgiu a oportunidade de um dinheiro extra, um trabalho *freelancer* no Fadas *Shake*, eu logo me candidatei. Por conhecer as donas, Lívia e Deise, foi fácil ser chamada para ajudá-las. Além do mais, eu amava tudo o que o Fadas vendia.

O mês de julho me rendeu uma experiência incrível no *food truck* e ainda pude inventar novas receitas de *shakes* e sucos. Aliás, Lívia batizou um *shake* meu como "batida encantada" e foi uma honra imensa. Gostaria muito de trabalhar no Fadas por mais tempo, uma pena que com a volta do colégio e o horário normal no café eu pudesse ficar tão pouco.

Naquela noite, minha frequente dor de cabeça tinha dado as caras e, bastante nauseada, eu contava os minutos para ir embora.

Júlia me encontrou no *food truck* com Sara, quando o expediente no café acabou, e seguimos juntas para a estação do BRT.*

— Escuta, Tati — Júlia me chamou assim que o sinal fechou para que pudéssemos atravessar a movimentada Avenida das Américas. Os faróis dos carros me acertaram em cheio. Aquela luminosidade intensa no meio da noite me fez apertar os olhos com força.

* BRT é um sistema de transporte coletivo do município do Rio de Janeiro.

— Sabe o meu irmão? O Lucas? — Júlia continuou ao pisarmos na estação. — Então, ele deu uma fuçada no seu Instagram e meio que ficou interessado em você. Queria te convidar pra sair. Perguntou se eu podia passar o seu número do celular.

Bom, eu não fazia ideia de como alguém ficaria interessado em mim com base nas minhas fotos de rede sociais, que eram praticamente inexistentes. E outra: eu não estava interessada em sair com ninguém, e Júlia sabia disso muito bem. Logo ela que vivia me empurrando uns clientes engraçadinhos do café, que eu fazia questão de espantar.

— Júlia, você sabe que não estou a fim de sair com ninguém, muito menos com seu irmão. Você está proibida de dar meu número pra ele — pontuei com firmeza.

— Tati, você precisa se divertir mais, garota. Tem que sair, curtir a vida — falou Sara, ajeitando a bolsa no ombro.

— E olha só, meu irmão é o maior gato, vamos combinar. — Júlia sorriu com malícia.

Bom, nisso ela tinha razão.

O Lucas era um garoto muito lindo, assim como Júlia, uma ruivinha de sorriso caloroso. No entanto, Lucas era muito mulherengo. Quase todo mês estava com uma garota diferente, pelo que Júlia contava, e eu jamais sairia com um cara assim. A não ser que eu tivesse uma placa de trouxa colada na testa, o que não tinha, felizmente.

— Esquece, Júlia, nunca vai rolar — eu disse, fazendo uma careta, e apontando um dedo para ela acrescentei: — E pare de ficar me arranjando namorado, sabe que não tenho tempo para essas coisas.

— Não tem é vontade, porque se tivesse, tempo arrumava.

A afirmação perspicaz foi de Sara. Dei de ombros para ela, que me lançou uma careta de volta. Júlia estava prestes a abrir a boca novamente, e ela com certeza me passaria um de seus sermões sobre "eu ser nova e precisar curtir a vida" se meu BRT não tivesse chegado.

Dando "boa noite" e um "até amanhã", corri para dentro do ônibus vendo os olhos de Júlia estreitos para mim. Por detrás das portas fechadas, dei um tchauzinho para minhas colegas e tratei logo de procurar um assento vago para o meu corpo cansado.

Teria que ser um ninja — e um dos bons — para entrar na minha casa sem que minha mãe percebesse. Havia anos que eu tentava, andando na ponta dos pés e prendendo até a respiração, mas era impossível que dona Dora não notasse minha chegada. Por mais que cochilasse vendo tevê, minha mãe não dormiria até que eu estivesse sã e salva em casa.

Queria ao menos ter a chance de tirar a roupa suada, tomar um banho, comer e só então ir dar um beijo de boa noite em minha mãe. Mas ela permitiria? Lógico que não. Mamãe não perdia uma chegada minha, até porque ela precisava fazer suas habituais reclamações.

E bastou eu colocar a mochila em cima do sofá, que minha mãe surgiu prontamente na sala já acendendo a luz. Apertei minhas vistas pela segunda vez naquela noite.

— Até que enfim você chegou. Já estava ficando preocupada — mamãe disparou, com uma mão na cintura.

Soltei um "te amo, mãe" para aliviar o clima, e fui tirando os tênis, torcendo o nariz para o cheiro terrível que subia dos meus pés. Vixe, eu precisava muito de um banho.

— Não me venha com suas declarações fajutas de amor, Tatiana.

Daí ela colocou a outra mão na cintura, perfurando-me com o seu olhar afiado e reprovador.

Inspirei bem fundo, pois não queria brigar mais uma vez com ela. Quase toda noite nós estávamos tendo pequenos embates por causa da minha rotina corrida.

— Eu não quero mais que você chegue tão tarde em casa, minha filha, já te falei isso. Fico muito preocupada com você saindo do trabalho, pegando o BRT, andando de volta pra casa...

— Mãe, se eu ficar pensando em todas as possibilidades ruins, eu não vivo, né? — respondi, cortando seu sermão, e fui logo estalar um rápido beijo em sua bochecha magra.

— Se formos levar em conta que você já não vive, Tatiana...

Minha mãe soltou um muxoxo e eu contornei seu ombro para ir até o meu quarto pegar roupas limpas.

— Você só vive para o trabalho, minha filha, isso não é vida.

— Eu não *vivo* — enfatizei — para o trabalho coisa nenhuma.

— Ah, sim, é claro — ela ironizou. — Quando não está estudando até tarde, está trabalhando até tarde.

— Mãe, eu não entendo o que tem de tão errado nisso, poxa. Este é meu último ano no colégio, tenho ótimas notas, estou estudando muito para o Enem e em busca do meu sonho, por isso trabalho demais.

— Ah! — mamãe exclamou com um sorriso de quem estava vencendo a parada. — Então você reconhece que trabalha demais, Tatiana?

— É claro, mãe, não sou burra. Eu trabalho muito mesmo — afirmei, de frente para ela, tentando alcançar o banheiro do corredor. Mamãe barrou minha passagem com o corpo. Bufei, impaciente.

— Não tem motivo para a senhora ficar tão chateada por eu chegar agora. E, sinceramente, não são nem dez horas ainda, é cedo! — Quiquei meus ombros. — Cheguei do trabalho, não de uma boate, mãe.

— Olha, minha filha — minha mãe cruzou os braços e me encarou com uma expressão aborrecida —, eu ficaria bem mais contente se você chegasse tarde de uma festinha, porque estava se divertindo ou porque foi ao cinema com os amigos, ou quem sabe porque estava com um paquera.

Minha mãe era inacreditável.

Àquela hora me fazendo explodir numa gargalhada.

Só a dona Eudora mesmo.

— Paquera? Paquera, mãe? Ninguém fala mais isso hoje.

— Pois eu falo — ela retrucou com um bico sabichão.

— Sou uma filha muito responsável e ajuizada — eu falei dando um sorriso meia boca e entrando no banheiro de uma vez. — Eu só estudo e trabalho. Só isso. A senhora deveria era ser grata, viu.

— Mas eu sou grata, Tatiana — ela rebateu. — Você sabe que a mãe te ama, filha. Eu só gostaria que você... — ela suspirou fundo, parecendo cansada, e continuou: — ... que você saísse mais com os amigos, se divertisse, aproveitasse sua juventude. Você sempre foi uma menina muito decidida, focada, e isso é ótimo, filha. Só acho que você precisa equilibrar as coisas, porque quando se der conta o tempo terá passado, e ele não volta.

Era esse o sermão de quase todo dia. Foi minha vez de respirar fundo e, querendo acabar logo com aquela conversa, falei o que ela gostaria de ouvir:

— Mãe, olha, eu vou tentar chegar mais cedo, tá bom?

— Tentar não, Tatiana, *conseguir*, porque eu não aguento mais te ver chegando essa hora. Você não se preocupa com o meu coração?

— Eu te amo, mãe. É lógico que me preocupo. Desculpa te fazer passar aperto, tá? — Dei um beijo na testa dela. — Prometo que semana que vem eu chego cedo — garanti.

— Espero mesmo que sim, Tatiana.

— Agora, eu quero tomar banho, mãe. Me deixa? — pedi, suplicando, e com os lábios pressionados num bico irritado minha mãe acenou. Rapidamente tranquei a porta do banheiro.

Duas horas mais tarde, minha mãe roncava do outro lado do corredor, mas eu já estava acostumada. Peguei meus fones e coloquei a habitual *playlist* para dormir. Rolei a tela do celular e cliquei no *site* do tão sonhado curso.

Lá estava a página do instituto que fazia o meu coração acelerar. Olhei pela milésima vez tudo o que o programa oferecia, seu tempo de duração e seu preço, que havia aumentado nos últimos meses.

Belisquei com os dentes a pequena unha do mindinho enquanto pensava em todo o dinheiro que ainda precisaria juntar, caso não conseguisse a bolsa integral.

Minha cabeça começou a doer novamente. Lá estava eu, pensando demais como de costume. Tinha que ir dormir. A dor de cabeça era devida ao cansaço e às noites mal dormidas, eu sabia disso. Então, apaguei o visor do celular, fiz uma breve oração e me esforcei para dormir enquanto ouvia música.

Animada para amanhã?

A mensagem de Lolo, minha melhor amiga, chegou às seis da manhã enquanto eu me arrumava para o colégio.

Respondi: *Você sabe que não sou fã de festas, Lolo. Mas estou feliz pelo aniversário da tia Landa.*

Lolo: *Pare de ser tããão velha, Tati. A festa será o máximo! Minha mãe está muito ansiosa e eu também.*

Não era nenhuma novidade, Lolo e sua mãe adoravam festas e sociais.

Minha amiga e eu fomos trocando mensagens durante minha caminhada para a escola.

Lolo: *Meu vestido está deslumbrante! Tia Dora arrasou mais uma vez. Sua mãe é a melhor. Não consigo parar de admirar!*

Eu*: Às seis da manhã? Tenha dó, Lorena!*

Lolo: *Chata. Me deixa babar pelo meu vestido?!*

Eu: *Ache algo melhor para fazer...*

Lolo: *Adivinha quem confirmou presença na festa, Tati?*

Eu: *Quem?*

Lolo: *O Marco Antônio! Não estou sabendo lidar. Ele me enviou uma mensagem ontem à noite dizendo que conseguiria vir na festa e tal.*

Eu: *Você convidou ele mesmo? Achei que estivesse zoando, Lolo.*

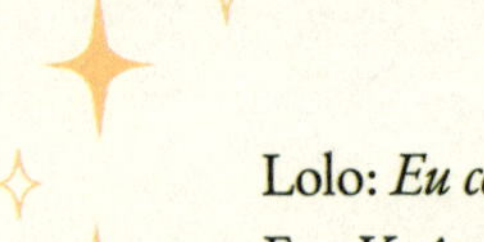

Lolo: *Eu convidei, ué.*

Eu: *Você acabou de conhecer o garoto!*

Lolo: *A gente já se conhecia pelo colégio, só que agora estamos ficando amigos.*

Eu: *Aham, sei. Vocês trocaram duas palavras há uma semana e já estão amigos?*

Lolo: *Ai, Tati, não começa. É! Ficamos amigos. Ele é super gente boa e eu quis convidá-lo para o aniversário da minha mãe. Qual o problema?*

Eu: *Tirando o fato de que você convidou um garoto que mal conhece só porque tá a fim dele... Nenhum.*

Lolo: *Não é bem assim não, viu! Não posso querer ter uma amizade com um garoto que você já acha que tô a fim.*

Eu: *E não tá? Nem tente me enrolar, Lolo. Te conheço. Enquanto não encontrar finalmente seu príncipe encantado você não vai sossegar.*

Lolo: *O Marco Antônio bem que se encaixaria no perfil. Gatíssimo!*

Eu: *Sua maluca! Estou chegando no colégio. A gente se fala depois.*

O restante do dia de sexta-feira foi um borrão, graças a minha insistente dor de cabeça. Ela começou no último tempo de aula e durou até eu finalmente chegar em casa depois do expediente no café. Nem fui ao Fadas, o que me deixou bastante chateada, eu precisava e contava com aquele dinheiro.

Em casa, surpreendi minha mãe por chegar cedo. Ela ficou toda feliz e animada para jantarmos juntas. Arrumou a mesa e tudo,

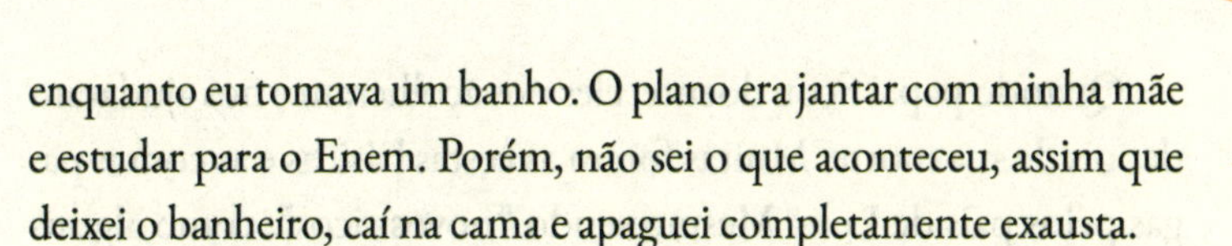

enquanto eu tomava um banho. O plano era jantar com minha mãe e estudar para o Enem. Porém, não sei o que aconteceu, assim que deixei o banheiro, caí na cama e apaguei completamente exausta.

Acordei no sábado quase meio-dia e briguei com minha mãe por ter me deixado dormir até tarde. Mamãe nem se importou e desceu para a casa da minha avó, que ficava nos fundos do quintal, gritando que ela havia feito sua famosa galinha mexicana. Me vi vestindo uma roupa às pressas.

Eu tinha que terminar de embalar os doces para a festa da tia Landa, mas só conseguiria mesmo depois do almoço.

Eram quase quatro da tarde quando eu finalmente terminei toda a encomenda dos doces feita por tia Landa. Sabia que ela havia me contratado porque conhecia meu objetivo de juntar dinheiro para o curso de gastronomia. Se bem que meus doces eram de fato deliciosos.

No entanto, ela poderia ter fechado o serviço com confeiteiras profissionais, assim como contratou o *buffet* da festa, mas fez questão de me chamar. Isso me fazia amá-la um pouco mais.

Na verdade, eu adorava os pais de Lolo. Nossas mães eram amigas havia anos, desde que mamãe se tornou costureira oficial de tia Landa. Tudo quanto era tipo de roupa minha mãe fazia para elas, e havia até confeccionado os vestidos das duas para a festança daquela noite.

Lolo e eu crescemos juntas, praticamente como família, e nos tornamos melhores amigas. Para falar a verdade, ela era minha amiga mais próxima. E eu amava todos eles e era muito grata por tudo que haviam feito por minha família.

Quando papai ficou doente, eles nos acolheram e nos ajudaram depois de sua morte. Muitas foram as cestas básicas e as contas pagas pelos pais de Lolo. Mesmo sendo "novos ricos", como alguns costumavam chamar, eram pessoas humildes e de bom coração.

Quando eu estava à procura de emprego, tio Otávio prontamente me ofereceu uma vaga em sua franquia de café. Graças ao meu trabalho, pude finalmente começar a ter meu próprio dinheiro. Podia ajudar minha mãe com as despesas, pagar pelas minhas coisas pessoais, além do mais importante, que era juntar dinheiro para o curso.

De certa forma, ao começar a trabalhar, eu alcancei um nível de independência e vi o quanto isso me fez amadurecer.

Foi muito bom para mim e seria ainda mais quando eu enfim trabalhasse fazendo o que amava. Cuidando da minha própria cozinha, elaborando pratos, criando novas receitas cheias de sabores e encantando a vida das pessoas.

Um dia eu faria tudo isso. Um dia eu chegaria lá.

Depois de quarenta minutos muito corridos, eu estava pronta para a festa. O vestido de algodão que minha mãe havia feito para mim, meses atrás, ainda servia. Ele era lindo, com estampas tribais em tons terrosos. Amava a combinação que fazia com minha pele negra. Só não curtia muito as alcinhas que deixavam meus ombros ossudos à mostra.

No geral, eu estava bonita. Sorri, encarando meu reflexo no espelho. Agradeci mentalmente a tia Madá por ter feito o *box braids* semana passada. Era um alívio não me preocupar com um penteado elaborado àquela hora. Apenas puxei as tranças no topo da cabeça e fiz um coque volumoso.

Finalizei a maquiagem, calcei as sandálias e cruzei a bolsa no ombro. Apressada, gritei por minha mãe, que, como de costume, estava pronta e me aguardando.

Disse a ela que estava linda e ela sorriu de volta, me elogiando também. Ela me ajudou com as caixas dos doces e descemos juntas as escadas. Do lado de fora do portão, o carro solicitado pelo aplicativo nos esperava. O motorista, bem simpático, nos ajudou a entrar no carro e, assim que nos acomodamos, seguimos para o Recreio.

A fachada da casa de tia Landa estava bastante iluminada, reparei, assim que o motorista estacionou rente à calçada. Carregando as caixas, minha mãe e eu tentamos nos ajeitar à medida que seguíamos para o portão de madeira. Foi tio Otávio quem nos recebeu com um largo sorriso. Ele ainda usava bermuda e camiseta.

— Que bom que vocês chegaram! — exclamou, pegando as caixas da minha mãe. — Coloque as suas aqui em cima, Tati. Vou levar para a menina da organização.

Empilhei como ele pediu.

— Entrem e fiquem à vontade. A casa é de vocês, sabem disso. Landa está se maquiando e Lorena terminando de se arrumar. E eu preciso me trocar antes que Landa fique histérica — Tio Otávio brincou nos tirando uma risada. Despediu-se brevemente, cortou o gramado da casa indo ao encontro de uma das tantas pessoas ali uniformizadas e lhe entregou as caixas.

— Olha, filha, quanto luxo — minha mãe comentou ao meu lado, maravilhada. Eu me sentia da mesma forma: tudo era mesmo bonito e luxuoso. As cores dourado e preto eram predominantes. Muitas mesas e cadeiras espalhadas pelo gramado, velas e rosas por todos os lados. A mesa do bolo estava deslumbrante.

Impressionadas com tanta beleza, mamãe e eu fomos comentando sobre a decoração enquanto seguíamos para a casa da aniversariante.

Tia Landa estava animadíssima e quase pronta para a sua festa. Já Lorena estava tendo um treco, pois o zíper de seu vestido havia emperrado e, na briga com ele, puxou alguns fios do tecido rosa. Sorte dela que minha mãe sempre carregava um mini *kit* de costura na bolsa.

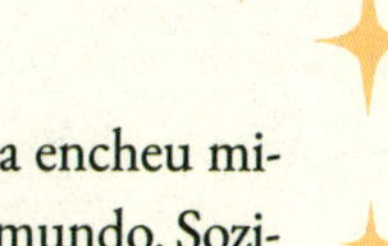

Ela reparou o pequeno dano no vestido e Lorena encheu minha mãe de beijos, repetindo que ela era a melhor do mundo. Sozinhas novamente em seu quarto, Lorena não parava de falar sobre o nervosismo que a consumia.

— Até parece que o aniversário é seu, Lolo — ri, ajeitando o diadema brilhante em seu cabelo loiro.

— É quase como se fosse, Tati. Nossa — ela se abanou com uma mão —, estou numa agitação enorme. Preciso de uma coca gelada. Ai! — ela exclamou, de repente, e riu. — Acho que meu celular vibrou. — Lolo enfiou a mão entre seu corpo e a cama, onde estava sentada, e puxou o aparelho. Olhou para o visor e seu sorriso agigantou-se no rosto maquiado.

— Marco Antônio pediu minha localização. Ai, Tati, ele está vindo mesmo!

— Upi! — fingi empolgação, o que me rendeu uma careta de Lolo. — Se comporta, hein, dona Lorena — aconselhei, apontando meu indicador em seu rosto sorridente.

— Eu sou uma garota supercomportada, tá?

— Ah, sim, claro. — Meu tom era pura ironia. — Só o seu coração que é meio travesso, né?

Lorena abriu um sorrisão e empurrou meu ombro, ficando de pé para teclar furiosamente no celular, dizendo ter enviado a localização para o garoto, e me perguntando pela terceira vez se estava bonita.

— Encantadora, queridinha! — confirmei, sorrindo.

Lolo estava mesmo maravilhosa. Minha amiga tinha o rosto angelical, um longo cabelo loiro e incríveis olhos azuis, como os de sua mãe. Ela era o tipo de garota que não precisava de muita coisa para estar bonita. Aliás, ela era linda e eu a amava como uma irmã.

— Acho que estou pronta — Lorena disse.

— Tenho certeza que está, Lolo. Vamos descer?

5

Em uma hora de festa, eu já não aguentava mais minhas sandálias. Deveria ter colocado meus tênis, pensei, escorada no enorme coqueiro no jardim enquanto sugava meu coquetel de frutas pelo canudinho. Observei a movimentação tentando calcular mentalmente quantas pessoas prestigiavam a tia Landa, mas foi em vão. O gramado estava tomado de gente.

Olhei para a área improvisada do *lounge*, onde Lorena estava com Marco Antônio e seus outros amigos. Alguns deles eram bem legais, outros nem tanto. E como o assunto estava meio chato, resolvi ficar a sós com o coqueiro.

Na verdade, embora o *buffet* fosse ótimo e eu amasse tia Landa, queria mesmo era estar em casa vendo mais um episódio de *Cake Boss*, meu segundo programa favorito, já que *MasterChef* ocupava o primeiro lugar.

Estava pensando sobre a nova temporada quando, pelo canto de olho, vi Lorena se aproximar de maneira espalhafatosa. Gemi.

— Vem, amiga, vamos tirar uma foto todos juntos. — Ela agarrou minha mão, me puxando.

— Ai, não, Lolo — resmunguei, não aguentava mais tirar fotos.

— Vai sim e nem reclama. E depois vai ficar com a gente, hein. Para de ser antissocial.

— Ei! Eu não sou antissocial — rebati, com Lorena me arrastando de volta ao *lounge*.

— É e muito. Toda a galera da nossa idade está tendo altos papos e você resolveu ficar com o coqueiro, Tati. Afê!

Nos juntamos ao grupo que conversava e ria muito alto, fazendo aquela festinha particular. Fui cumprimentada por Nicolas, que, até aquele momento, eu não tinha visto na festa.

O negro alto de cabelos escuros encaracolados me lançou um aceno e um largo sorriso. Do grupo de amigos da Lorena, Nicolas era o que eu conhecia havia mais tempo, desde a infância, e também aquele de que eu menos gostava. Ele era irritantemente atrevido, mimado e chato.

Falei um "oi" sem som para ele e fiquei perto de Lolo para a foto em grupo que o próprio Nicolas tirou. Depois de vários cliques, uma garçonete se aproximou trazendo bebidas. Peguei um copo de suco e me sentei num pufe.

— Fala aí, Tati. — Nicolas se materializou ao meu lado. Torci os lábios e escondi minha insatisfação por sua presença bebendo mais suco. — Como você tá?

— Bem — respondi somente, com olhos nas pessoas do outro lado do gramado.

— Bacana — ele falou. — Eu ando bem também, a propósito.

— Que bom. — Apertei os lábios, brincando com o copo entre os dedos.

— Então, você ainda está no café do tio Otávio?

Ele puxou assunto e eu apenas acenei em resposta.

— Bacana. Lorena te disse que eu começo no café na segunda-feira?

— Quê?! — exclamei, sem entender direito.

— Sou o mais novo contratado do *Frogs Coffee* — Nicolas contou cheio de si, e eu mal acreditei. Virei o pescoço para ele e olhei para cima, buscando seu rosto.

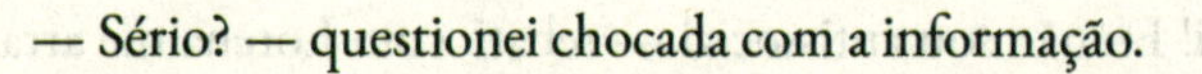

— Sério? — questionei chocada com a informação.

— Sério, pô! — Nicolas confirmou com um sorriso vaidoso. — Surgiu uma vaga para atendente no café e tio Otávio me ofereceu. Aceitei e começo o treinamento na segunda. Vai ser bacana trabalhar com alguém conhecido — falou, com um sorrisinho no canto da boca.

Fiquei muito surpresa com aquela novidade. De fato, eu não esperava. É claro que eu sabia que havia uma vaga de atendente no café, e foi justamente essa que eu pedi para Lorena dar ao meu primo Fábio. Ele havia perdido o emprego e tinha um bebezinho pequeno. Estava precisando muito de dinheiro.

Mas, pelo visto, não ganharia a vaga no café. Nicolas ganhou. Justo o farrista e mimado do Nicolas. O pai dele é empresário e Nicolas poderia trabalhar com ele se quisesse, e sei que ele nunca quis. Nicolas é um playboyzinho de 19 anos que não gosta de trabalhar e estudar e que vive de curtição às custas do pai.

Se eu já não gostava dele, passei a gostar menos ainda por saber que ele pegou a vaga de emprego de alguém que realmente merecia.

— Estou animado para segunda. — Nicolas soou feliz ao meu lado.

Bufei, me sentindo bastante chateada, e me levantei num único salto sem prever que o garoto cruzaria meu caminho. Colidimos um com o outro e foi com horror que vi sua bebida cor de uva derramada no meu vestido.

Com meu vestido arruinado, subi o lance de escadas para o segundo andar da casa seguindo Lorena até seu quarto. Minha amiga não parava de tagarelar dizendo que encontraria outro vestido para mim.

No banheiro, enquanto me trocava, fiquei remoendo a conversa com Nicolas. Que tortura seria ter que aguentá-lo no trabalho...

— O vestido deu em você, Tati?

Lorena perguntou do outro lado da porta.

— Deu sim, Lolo — respondi.

No espelho, em cima da pia, eu vi como o vestido abraçou meu corpo. Detestava roupas muito justas, do tipo que Lorena adorava. E o pior era que o vestido azul era no modelo tomara que caia. Orei em silêncio para jamais cair. E, por causa da minha neura com ombros de fora, desfiz meu coque, permitindo que as tranças caíssem em peso na frente do vestido.

Observei meu reflexo. Ficou bem melhor.

Um suspiro deixou meus lábios e saí do banheiro.

Lorena, animada, apreciou seu vestido em mim. E, com o meu sujo nas mãos, descemos para pegar uma sacola na lavandeira enquanto Lorena tagarelava sobre Marco Antônio. Fingi ouvi-la enquanto balançava a cabeça reprovando sua empolgação.

Lorena era sempre assim quando se interessava por um menino, ficando rapidamente deslumbrada para, em seguida, decepcionada.

Em todos os meus 17 anos de idade, nunca conheci uma garota tão desejosa por um namorado como a Lorena. Garotos sempre foram o *top* 1 de Lolo e o meu *top* 0. Pensávamos de maneira bem diferente sobre o assunto, e mesmo sendo aconselhada inúmeras vezes por nossa líder na igreja, Lorena não mudava.

Porém, eu seguia acreditando que um dia ela desistiria de tentar encontrar o príncipe encantado à força e deixaria que as coisas acontecessem no devido tempo. Com certeza seu coração teria sossego e bem menos rachaduras.

— Tati, acho que o Marco Antônio está a fim de mim.

Os olhos azuis de Lolo brilharam empolgados. Resmunguei, socando meu vestido numa sacola plástica de mercado. Lorena subiu em cima da bancada na lavanderia, se sentou e me deu aquele olhar tipicamente apaixonado.

— Ai, Tati, ele é tão fofo, sabe? É superinteligente, educado, gosta das mesmas coisas que eu...

E ela seguiu listando as muitas qualidades de Marco Antônio, o suposto escolhido para príncipe encantado da vez.

— ... ele também é da igreja — ela concluiu como se fosse a cereja do bolo.

— Ele é da igreja ou é de Jesus? Tem uma baita diferença, viu? — pontuei, colocando a sacola em cima da máquina de lavar e cruzando os braços. — O Nicolas também é da igreja e está longe de ser o par perfeito.

— O Nico não é parâmetro, né, Tati — Lorena revirou os olhos. — Tá meio desviado, tadinho. O Marco Antônio é muito diferente. Sabia que ele é vocalista no ministério de louvor da juventude na igreja dele? E também toca bateria.

— Você descobriu isso tudo no perfil dele no Instagram, Lorena? — fiz graça, dando uma risadinha e Lorena riu junto. Ela saltou da bancada, alisando a saia de seu vestido rosa.

— Não, sua bobinha, a gente foi conversando — contou.

— E ele te contou as muitas qualidades dele... Sei.

— Não foi assim, Tati. Os assuntos foram surgindo. — Lorena deu de ombros. — Acho que ele também gosta de mim. — E sorriu com animação.

— Lorena, você acabou de conhecer o garoto, vê se não vai trocar saliva com ele, tá?

— Que nojo, Tatiana! — Lolo exclamou, empurrando meu ombro enquanto eu ria. — E, tecnicamente, eu não acabei de conhecer o Marco Antônio, a gente já se esbarrava pelo colégio. Estamos ficando mais próximos agora.

— Ótimo! Vão ficando na amizade e se conhecendo bastante primeiro antes de trocarem germes bucais — aconselhei aos risos.

Lolo me mostrou sua língua, divertindo-me.

— Você só fala assim de beijo porque nunca deu um — ela me acusou.

— E nem pretendo tão cedo — rebati, cruzando os braços.

— Não sabe o quanto é booom — Lorena falou, esticando a palavra e nos tirando risadas. Ela beijou sua palma encenando um beijo. Foi minha vez de exclamar "eca", mas ri muito. Lolo sabia ser engraçada.

Deixamos a lavanderia entre risadas.

Durante nossa volta para a festa, Nicolas se aproximou e pediu desculpas mais uma vez. Falei que estava tudo bem, afinal foi um acidente, ele não teve culpa. Lolo me deixou sozinha com ele para ir até a rodinha em que Marco Antônio estava. Balancei a cabeça e decidi procurar minha mãe.

Saímos da festa assim que tia Landa partiu o bolo. Chegamos tarde em casa e completamente exaustas. Só tomamos banho e partimos para a cama. Acabei dormindo no quarto com minha mãe naquela noite. Fazia tempo que não dormia com ela. Mamãe adorava quando isso acontecia.

No domingo, acordamos preguiçosas e cansadas. Mas, ainda que nossos pés latejassem, minha mãe decidiu ir à igreja pela manhã e eu a acompanhei.

De tarde, mamãe foi ver minha avó e eu escolhi ficar em casa para estudar. Consegui resolver várias questões do Enem e assisti a videoaulas no YouTube. No entanto, meu plano de continuar estudando foi encerrado quando Lorena encheu meu celular de mensagens desesperadas. De tanto ela insistir, fui ver o que ela queria.

A mensagem "MARCO ANTÔNIO FICOU COM A KAREN ONTEM" em negrito e caixa alta foi suficiente para que eu respondesse.

Mensagens não foram suficientes para Lorena. Ela precisou me ligar por chamada de vídeo para despejar tudo o que descobriu sobre sua amiga Karen e o Marco Antônio, ex-príncipe encantado.

Nunca vi Lorena com tanta raiva de alguém. Ela queria torcer o pescoço do garoto e isso me fez dar várias risadas. Fiquei bastante

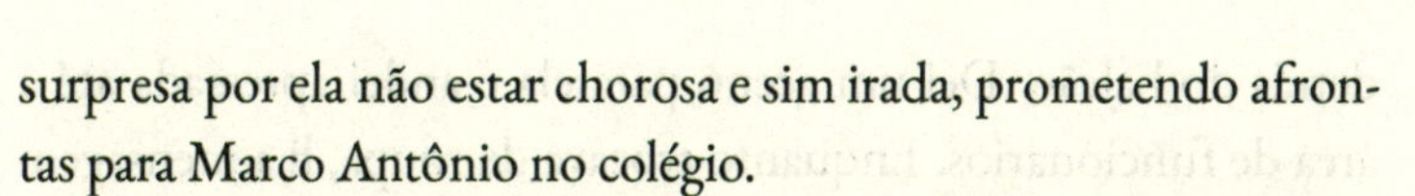

surpresa por ela não estar chorosa e sim irada, prometendo afrontas para Marco Antônio no colégio.

Afirmei várias vezes para ela que não valia a pena. Além do mais, eles não tinham nada, zero compromisso ou relacionamento. Estavam na fase inicial da amizade, apesar de Lolo sonhar com o namoro dos dois e estar quase certa de que o garoto gostava dela de volta.

Bom, talvez ele gostasse dela como amiga, na melhor das hipóteses. Na pior, ele estava interessado em Lolo até conhecer a Karen. No entanto, eu guardei a segunda opção para mim a fim de não alimentar ainda mais a chama da ira em Lorena.

Aproveitei a nossa conversa para, mais uma vez, dizer à Lorena que ela deveria parar de ficar se defraudando emocionalmente e que guardasse seu coração daquelas paixões passageiras. Esperava que pelo menos uma vez os meus repetidos conselhos fizessem efeito em Lorena.

Com uma hora de ligação, encerramos a chamada e eu voltei aos estudos.

Quando é que você iria me contar que o Nicolas seria meu colega de trabalho, hein, dona Lorena?

Não me aguentei e enviei a mensagem para Lolo assim que cheguei ao café na segunda-feira seguinte e vi Nicolas andando pelo estabelecimento com o tio Otávio. O garoto até estava uniformizado com o avental verde.

Observei os dois ao empurrar a porta de vidro e entrar no estabelecimento. Fui recebida pelo ar gelado e pelo cheiro de café fresco. Ganhei um sorriso de Sara, que atendia um cliente por detrás do balcão. Dei um aceno para ela e andei apressada até a área de funcionários. Enquanto trocava de roupa, li a mensagem de Lorena.

Tatiii! Eu acabei me esquecendo de mencionar. Tinha tanta coisa acontecendo... Foi mal, amiga. Meu pai me contou que deu um emprego a ele. Desculpe ter falado que iria conseguir para aquele seu primo. Papai iria até chamá-lo para um teste, mas acabou que ele deu a vaga para o Nicolas.

Suspirei, teclando de volta no celular.

Eu sabia que Nicolas não tinha experiência com emprego algum, então tio Otávio o contratou por amizade. Embora eu também houvesse sido contratada por ser amiga do dono, havia a diferença de que eu realmente precisava do trabalho. Nicolas não, e sabe-se lá porque aceitou o emprego.

Conversei mais um pouco com Lolo, guardei o celular no armário e fui trabalhar.

8

Em apenas um dia, *um simples dia*, Nicolas já havia formado seu fã-clube. Basicamente todo mundo havia sido fisgado pelo seu jeito de conquistador barato. Mas até que ele se saiu bem para o primeiro dia. Era ágil e aprendia rápido. Não ficou nervoso quando o horário de pico começou e o café ficou lotado como de costume.

O garoto se atrapalhou um pouco, mas compensava uma falha e outra com seu charme de quinta categoria e seus muitos sorrisos confiantes.

Nicolas tentou fazer algumas gracinhas comigo, mas me mantive séria deixando claro que não estava para brincadeiras. Eu não gostava de seu jeito, e também minha cabeça latejava com a volta daquela dor importuna.

Pensei por alguns minutos se deveria ir embora ou ficar e ajudar Lívia e Deise. No entanto, por sorte, eu tinha uma cartela de comprimidos na bolsa e tomei um, esperando que a dor se fosse e eu pudesse trabalhar bem.

Pronta para ir para casa e ainda com dor de cabeça e muito enjoada, saí do Fadas já com o celular nas mãos para verificar

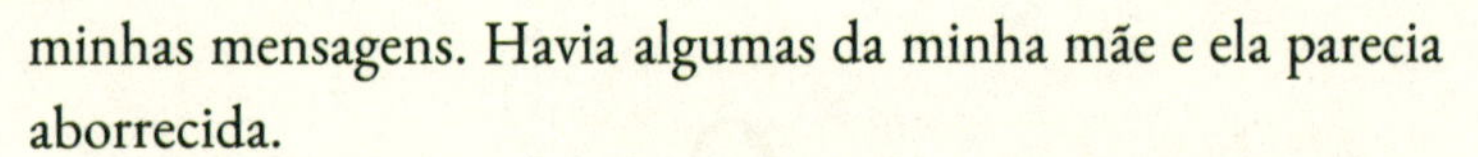

minhas mensagens. Havia algumas da minha mãe e ela parecia aborrecida.

Tatiana! Você não me prometeu que não faria o extra esta semana? Não combinamos que você chegaria cedo? E que iríamos ao shopping *juntas hoje?*

Puxa! Eu realmente me esqueci que nós tínhamos combinado. O pior era que eu vi o quanto ela ficou animada para darmos um passeio no *shopping*, coisa que não fazíamos havia meses.

Pisei na bola... De novo!

Chateada comigo mesma, me despedi do pessoal e comecei a caminhar sozinha para a estação do BRT, já que Júlia iria de carona com o namorado e levaria Sara.

Enquanto esperava o sinal fechar, fui surpreendida por Nicolas, que gritou meu nome e logo se aproximou.

— Ei, Tati, espera!

Ai, não.

O que ele queria?

— Você é rapidinha, hein? — comentou e deu um assovio. — Cara, eu tô acabado. O dia foi puxado, mas eu gostei. O café é *da hora*. Mandei bem hoje, você não acha?

Convencido até os ossos.

Arranquei meus olhos de seu sorrisinho autoconfiante e atravessei a faixa de pedestre com Nicolas no meu encalço.

— Então, você viu como me saí?

Ele era insistente.

— Você vai melhorando com o tempo, pegando o jeito.

Falei casualmente, não querendo elogiar Nicolas, apesar de ele ter ido bem, até mesmo melhor que eu no meu primeiro dia.

— Você podia me dar uns toques. Tio Otávio falou que você me ajudaria bastante no começo porque entende bem como

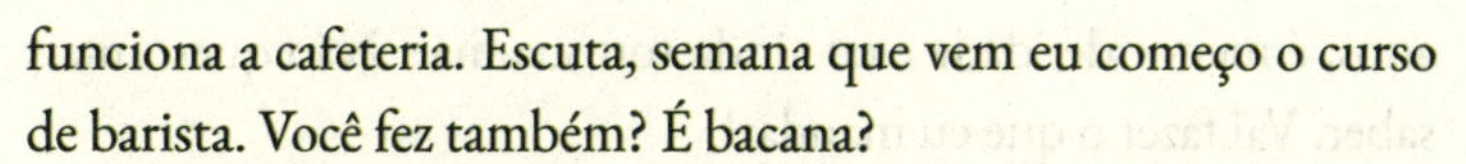

funciona a cafeteria. Escuta, semana que vem eu começo o curso de barista. Você fez também? É bacana?

Eu não queria conversar e muito menos com Nicolas. Apenas acenei um sim, vendo o meu BRT chegando.

— Podemos sentar juntos, já que vamos descer no mesmo ponto — ele sugeriu, e eu dei de ombros sem muito interesse.

Entrei no ônibus e caminhei para o primeiro espaço vazio que vi, e Nicolas se sentou ao meu lado rapidamente. Aproveitei o momento em que ele pegou seu celular para eu encontrar os meus fones e colocar na orelha, fingindo ouvir música para que Nicolas não falasse comigo. E deu certo.

Ao final do trajeto, Nicolas se despediu de mim e foi para a direita, onde ficava o complexo de condomínios em que morava. Eu segui meu caminho sozinha para a esquerda, rumo à minha casa.

Minha mãe estava uma fera. Falou tanto no meu ouvido e tive que escutar caladinha porque ela estava certa, mesmo que eu não aguentasse mais suas reclamações.

O ponto alto da conversa, no caso, do seu monólogo, que me fez prestar atenção, foi quando ela disse que se eu não começasse a chegar cedo em casa ela conversaria com as moças do *food truck*.

Fiquei alarmada. Que grande humilhação seria.

— Não aguento mais você chegando tão tarde, Tatiana. Desde que começou esse bico você está chegando quase dez da noite. Eu não gosto. Acho perigoso. Fico preocupada e estou cansada de você me dizendo que vai chegar no horário normal, e você não chega. Fica me enrolando que eu sei. Mas, veja só — exasperada, ela chacoalhou as mãos no alto da cabeça. — Você só tem dezessete

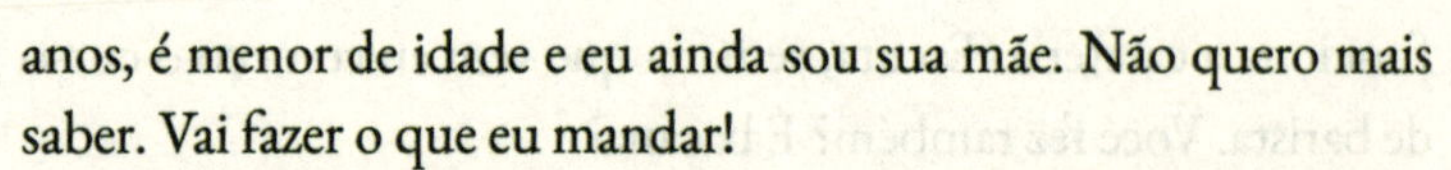

anos, é menor de idade e eu ainda sou sua mãe. Não quero mais saber. Vai fazer o que eu mandar!

Mamãe continuou esbravejando, fazendo minha dor de cabeça e minha irritação aumentarem. Minhas vistas doíam muito e ela não parava de brigar, agitando as mãos e andando pela sala. Cansada daquilo tudo, eu a deixei falando sozinha, dizendo que precisava tomar um banho porque estava com dor de cabeça.

Isso foi o suficiente para fazê-la parar e me oferecer um remédio. Rapidamente minha mãe mudou sua postura de aborrecida para preocupada, perguntando se eu tinha almoçado e lanchado bem, bebido bastante água e mais um monte de coisas. Respondi a cada uma de suas perguntas, aceitei o remédio e fugi do confronto indo para o banheiro.

Após algumas conversas com minha mãe sobre meu trabalho no *food truck*, finalmente encontramos um caminho. Ela não queria que eu chegasse tarde em casa e eu não gostaria de perder minha grana extra.

Então, parei de trabalhar de noite e comecei a ir para o Fadas aos sábados na parte da tarde. Assim, ficamos felizes. E o lado bom de chegar cedo durante a semana era que eu podia estudar mais para o Enem.

Como estávamos em agosto, não havia tempo a perder. A prova do Enem seria no final de novembro e pensar nela me embrulhava o estômago, só não mais que o teste para a bolsa no IGR no começo de janeiro do ano seguinte. Me imaginar lá, demonstrando minhas habilidades, fazia meu coração se encher de ansiedade e medo.

Ansiedade porque eu queria viver a experiência de estudar lá e medo de não ser boa o bastante para o curso e não conseguir a bolsa. Temia que meu sonho demorasse para acontecer à medida que eu juntasse mais dinheiro para pagar por ele.

Era tão caro... porém, se eu continuasse me esforçando como fazia, certamente iria conseguir. Eu acreditava em mim e orava todos os dias pedindo a Deus que me desse a chance de estudar no IGR.

Na sexta-feira, eu estava no *Frogs Coffee* quando Sara comentou:

— Você reparou que depois que o Nicolas veio trabalhar aqui o número de clientes femininas praticamente dobrou? Aquele garoto é um chamarisco — ela riu.

Eu limpava o balcão torcendo os lábios para a visão de Nicolas conversando com uma das clientes em sua mesa.

— Aposto que ele vai ganhar outro número de WhatsApp — brincou Sara.

— Dá pra acreditar nesse cara? — André exclamou voltando para o caixa. — Ele mal chegou e recebe mais números de celular e seguidoras no Instagram do que eu em meus três anos de trabalho.

— Ele é ridículo — soltei, arrumando o boné em minha cabeça.

— Ele é gato — Sara sorriu com malícia.

Fitei Sara com a expressão do tipo "fala sério" e ela ficou rindo porque sabia quanto eu não era fã do garoto. E ali eu era a única.

Em um mês de trabalho, Nicolas se tornou o rei do pedaço. Era a animação do café, tanto dos funcionários quanto dos clientes. Ele levava o seu *ukulele* e fazia dos nossos intervalos seu momento de *show* particular. Desde que eu conheço o Nicolas ele sempre adorou ser o centro das atenções, o que definitivamente ele era no *Frogs Coffee*.

Quando Nicolas se aproximou do balcão, com um sorriso esperto nos lábios e me lançando uma piscadela, dei ao garoto o meu olhar mais mordaz, o que ultimamente era o que ele mais recebia.

Prestes a ralhar com ele, vi Roni, o gerente, suspendendo o quadro com a foto do funcionário do mês. Qual não foi minha surpresa ao ver que não era mais o meu rosto ali como acontecia havia meses e, sim, o de Nicolas.

— Caramba! — ele se admirou indo ver de perto e já recebendo as felicitações de todos os funcionários.

Mesmo sendo o rei da idiotice na maioria as vezes, Nicolas me surpreendeu em seu primeiro mês. O garoto realmente estava se esforçando para ser bom. Vendo sua animação e as muitas *selfies* com o quadro, uma parte de mim ficou feliz por ele ter sido o destaque do mês. Sorri, dando-lhe os parabéns, ele realmente mereceu.

Tive que ouvir Nicolas se gabar pelo restante do dia e quase me arrependi de tê-lo elogiado. Ainda bem que deu minha hora de ir embora ou iria dar uns petelecos naquele convencido.

No BRT, indo para casa, recebi inúmeras mensagens dele gabando-se, suas fotos de funcionário do mês e um convite idiota para um *happy hour* num barzinho próximo.

Rejeitei, óbvio. Eu estava feliz por ele estar indo bem no trabalho e só. Não éramos amigos, imagina se eu sairia com ele para um barzinho. E, além disso, eu tinha que estudar.

No entanto, meus planos foram todos alterados quando finalmente entrei em casa e encontrei minha mãe chorosa no sofá. Larguei a mochila e fui até ela.

— O que houve, mãe? — questionei preocupada sentando-me ao seu lado.

— Sua avó, minha filha — ela contou e senti minha barriga afundar.

— O que houve? Minha avó tá bem? — perguntei apreensiva.

— Nós fomos ao oftalmo hoje, e ele disse que a catarata dela está progredindo o suficiente para prejudicar seriamente a visão da sua avó. Ela ficou apavorada, e eu também. Começou a chorar dizendo que a vez dela nunca iria chegar na fila do SUS...

Meu coração se encolheu e abracei minha mãe. Conhecia bem a luta que vovó vinha enfrentando desde que descobriu que tinha catarata no olho direito.

— O médico falou novamente da cirurgia particular, mas é tão caro, Tati. Com o dinheiro que tenho guardado eu não consigo pagar, e sua tia... hum... — mamãe entortou os lábios ao falar de sua única irmã. — ... aquela lá nunca tem dinheiro. Não sei o que fazer.

— Calma, mãe. — Afaguei suas costas ouvindo-a fungar. — Nós vamos dar um jeito. Minha avó não vai ficar cega, ela vai conseguir a cirurgia. Eu...

Engoli as palavras assim que a ideia cruzou meus pensamentos. Eu tinha bastante dinheiro guardado que vinha juntando fazia meses. Talvez eu pudesse custear a cirurgia da minha avó, mas... Puxa, era o dinheiro para pagar o curso de gastronomia se eu não conseguisse a bolsa. Levei vários meses para juntar, e ainda faltava mais, e se eu usasse para a cirurgia, eu.... ficaria sem nada.

— Ai, filha... — Mamãe chorou no meu ombro, enquanto eu refletia sobre o que deveria fazer a respeito da cirurgia da minha avó. Ela era minha família, minha segunda mãe, e eu não poderia deixar de ajudá-la quando tinha os recursos.

Ao mesmo tempo me sentia triste por pensar em perder tudo o que havia me esforçado tanto para conseguir.

Com o coração dividido, abracei minha mãe, sabendo o que deveria fazer ainda que parte de mim relutasse.

— Qual bebida você indicaria para um príncipe sapo?

No sábado, enquanto eu atendia no Fadas *Shake*, Nicolas se debruçou no balcão rosa e pegou um dos cardápios. Ele estava usando o boné e o avental verde do café. Pela hora, deveria estar no intervalo.

Suspirei e disse a ele com um sorriso inocente:

— Um chá de semancol seria ótimo.

Nicolas tirou os olhos do cardápio e os pousou em mim, sorrindo torto.

— O que você vai querer, Nicolas? — perguntei logo.

— Calma, eu não sei o que quero ainda — ele soltou.

— Por que veio então? — atirei, sentindo a estranha necessidade de arrumar o diadema ridículo que imitava uma coroa em minhas tranças presas num longo rabo de cavalo.

— Estava com vontade de te ver — ele falou com casualidade.

Como não estava com paciência para as gracinhas de Nicolas naquele dia, e também em nenhum outro, resolvi ignorá-lo.

— Anda, Nicolas, me diz o que quer. Tenho outras coisas para fazer — eu disse.

— Lorena está marcando um cineminha hoje com uma galera. Bora?

— Não vai dar — respondi de imediato. — Tenho que estudar.

Além do mais, se eu fosse ao cinema não seria na companhia de Nicolas.

— Pô, você só estuda, hein, Tati.

— Eu sou vestibulanda, Nicolas — falei, como se o termo explicasse o óbvio.

— Também já fui vestibulando e aproveitei meus dias mais que você.

— Eu me lembro bem disso — usei meu tom irônico. — Várias vezes vi você marcando socialzinha e fazendo farra no café com aqueles seus amigos maluquinhos.

Quando Nicolas estudava no colégio ao lado do *shopping*, ele vivia no café com seus amigos.

— Olha só quem andava reparando em mim — gabou-se ele e eu fiz careta.

— Até parece, Nicolas. Você e sua turminha eram um tormento.

— A gente soube aproveitar o ensino médio — deu um sorriso nostálgico.

— Não tenho tempo para conversa fiada, Nicolas. Ou compra ou cai fora.

— Tati — Nicolas riu —, você é sempre tão doce comigo. — E tocou o peito teatralmente.

Resmunguei, querendo logo que ele fosse embora. Nicolas era tão chatinho.

Fiquei grata quando uma cliente se aproximou e pediu o *shake* "Bibbidi-Bobbidi-Boo", que por sinal era o meu favorito por ser uma mistura de frutas vermelhas. Fiz sua batida em minutos e lhe entreguei. Ela pagou, agradeceu e foi embora.

Me virei para o Nicolas.

— Então...

Ele ainda fitava o cardápio.

— Uhn... Esse "Torre de Marfim" é de quê?

Descrevi os ingredientes e Nicolas finalmente fez seu pedido. Preparei e lhe entreguei. Ele provou e expressou satisfação com o olhar, dizendo estar bom.

— Você vai sair que horas hoje? — perguntou, voltando a bebericar seu *shake*.

— Seis — informei.

— Eu também. Vamos juntos? — ele ofereceu.

— Tá — dei de ombros. — Pode ser.

Aos sábados se tornou comum pegar o mesmo BRT que Nicolas, afinal íamos para o mesmo lado da cidade.

— Beleza.

Nicolas me lançou uma piscadela, enfiou o canudo entre os lábios e fez sua caminhada de volta para a cafeteria.

Por causa do intenso movimento no *food truck* no finalzinho da tarde, acabei ficando mais tempo do que pretendia ajudando Deise e Lívia.

Já eram sete horas quando deixei o Fadas com uma dor de cabeça insuportável. Tanto que minhas vistas doíam. A luminosidade forte da praça de alimentação piorou minha condição, eu mal conseguia abrir os olhos. E, de repente, comecei a me sentir tonta e com muita vontade de vomitar.

Minhas pernas pareciam sem forças, meu corpo estava mole e eu ia quase caindo ali mesmo. Por sorte, antes que eu batesse no chão, ouvi meu nome sendo chamando e fui surpreendida quando um braço envolveu minha cintura.

Meu corpo parecia que pegava fogo, mas por baixo da névoa da pulsante dor eu percebi que era Nicolas quem me segurava firmemente.

— O que tá sentindo, Tati?

Notei preocupação em sua voz e tentei explicar, atropelando-me com as palavras. Mas Nicolas parecia ter entendido. Ele ainda me segurava quando disse:

— Vou chamar um carro e te levar ao hospital. Você vai ficar bem.

No hospital, após ser atendida, medicada e ter feito vários exames, o diagnóstico, com base nos meus frequentes sintomas, foi de enxaqueca.

Nicolas esteve comigo o tempo todo e foi quem prestou mais atenção ao que o médico dizia, até que minha mãe irrompeu pelo quarto. Não sei como Nicolas havia conseguido entrar em contato com ela, mas me vi grata por ele a ter chamado.

Ela estava muito agitada, mas Nicolas a acalmou dizendo que eu estava bem e que havia sido medicada. Medicação intravenosa e que estava me dando um baita sono. Só conseguia bocejar vendo minha mãe falando e gesticulando o tempo todo. E quando ela começou a bombardear o médico sobre minha enxaqueca, finalmente me rendi ao sono.

Assim que acordei, descobri que minha mãe tinha dado informações detalhadas sobre a minha vida ao médico. Ele conversou comigo sobre estresse, ansiedade e sobre eu estar muito acelerada.

Recomendou que eu descansasse mais, dormisse bem à noite, bebesse bastante água e ficasse longe dos estudos puxados por alguns dias. Por isso, antes de eu ir embora, ele me deu um atestado de quatro dias afastada do trabalho.

Saímos tarde do hospital e na companhia de Nicolas, que fez questão de nos acompanhar até em casa. Minha mãe agradeceu a ele por ter cuidado de mim, e me vi agradecendo também. Ele foi realmente muito atencioso.

Quando saímos do carro, Nicolas se despediu e seguiu caminho a pé para seu apartamento que ficava do outro lado do BRT. Mamãe e eu entramos em casa, e bastou eu cair na cama para adormecer até o dia seguinte.

Relaxada graças às medicações e à noite de sono bem dormida, sentei na cama me espreguiçando e peguei o celular que apitava. Várias mensagens de Lorena, do tio Otávio, do pessoal do café, do Fadas e de Nicolas.

Basicamente todos querendo saber como eu estava. Me vi clicando na de Nicolas — porque eu queria agradecê-lo novamente. Ele havia sido muito bom para mim ontem. Seria sempre grata. Por isso, enviei uma mensagem:

Oi, bom dia. Eu estou bem. Acordei sem dor de cabeça, o que é um alívio. Muito obrigada por tudo ontem, viu? Nem sei o que teria acontecido se você não estivesse por perto.

Ele estava *on-line* e me respondeu:

Que bom que você ficou bem, Tati. Sorte sua que tinha um homem forte perto de você, hein.

Nicolas me fez rir, mas revirei os olhos.

Tão convencido...

Ficamos conversando por um tempo até que minha mãe veio me verificar trazendo uma bandeja de café da manhã.

Sorri para tanto carinho e tomamos café juntas na minha cama. Ela fez questão de repassar tudo o que médico tinha dito. Garanti a ela que me cuidaria e que pegaria mais leve com os estudos.

— Você está proibida de estudar durantes esses dias, Tatiana! — bradou ela.

— Mãe... — tentei argumentar, mas ela me cortou.

— São as recomendações do médico — afirmou. — Agora, fique quietinha aí que nós duas precisamos conversar.

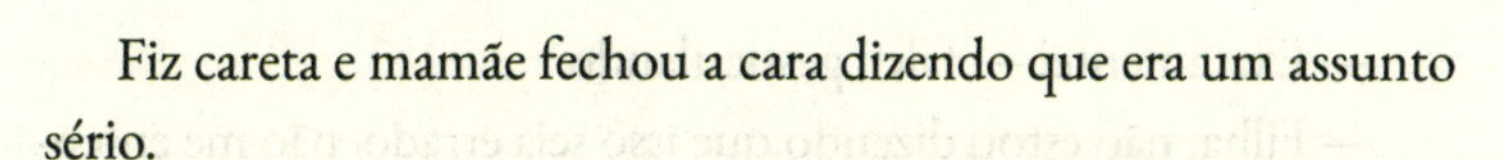

Fiz careta e mamãe fechou a cara dizendo que era um assunto sério.

— Desde que você decidiu que queria ser *chef* e entrar para um bom curso, eu tenho apoiado você em tudo, não é verdade?

Acenei com a cabeça, e ela continuou:

— Tati, você é uma das pessoas mais esforçadas que eu conheço e te admiro por isso, e não só porque é minha filha não, você é mesmo dedicada e determinada.

Dona Eudora tinha um sorriso amoroso em seu rosto. Retribui.

— Você está correndo atrás do seu sonho e dando o seu melhor para consegui-lo. Estuda e trabalha até demais para isso.

— O papai sempre dizia que o sucesso a gente só alcança com muito esforço e trabalho duro, né? — comentei.

— Verdade. Ele era como você, esforçado e determinado, corajoso e dava duro mesmo. Mas você se lembra do que ele também dizia, Tati? — Ela olhou bem nos meus olhos e prosseguiu: — Se esforce e trabalhe duro, dê sempre o melhor de si, mas nunca se esqueça do que realmente é o mais importante.

Mamãe me fez voltar no tempo ao citar as palavras de papai. Ele falava exatamente daquele jeito.

— Você sempre foi estudiosa. Quando não estava com um livro da escola nas mãos, tinha um de culinária, mas desde o início deste ano você tem andado muito acelerada, minha filha. Trabalhando até tarde, estudando até tarde, e é nisso que sua vida tem se resumido.

— Mãe, este é o meu último ano do colégio e tem o Enem — me defendi. — Não posso bobear, tenho que estudar mesmo, a senhora sabe que preciso ter uma nota excelente para conseguir a bolsa no curso de gastronomia que eu desejo.

— E está juntando dinheiro para o caso de não ganhar a bolsa, sei disso, Tatiana.

— Exatamente! — falei, gesticulando.

— Filha, não estou dizendo que isso seja errado, não me entenda mal, eu já te disse que você tem meu apoio para perseguir o seu sonho. Só quero que você pense um pouco em como a sua vida tem girado em torno desse objetivo. Você vive para isso. Até vem sentindo dores de cabeça porque está se esforçando além do que deveria.

— Mãe, eu não tenho enxaqueca porque trabalho e estudo muito.

— Pois eu tenho certeza que é por causa disso. Não viu o médico falando sobre a ansiedade, sobre o estresse? Você nem dorme direito, fica sempre estudando até tarde. A cabeça não aguenta tanta pressão, minha filha.

Bom, não queria dar razão a ela, mas talvez, só *talvez*, ela estivesse certa.

— Não vejo mais você saindo com os amigos, se divertindo, tendo momentos de distração, e isso é importante também. — Mamãe pegou na minha mão. — Você raramente tem ido aos cultos porque está sempre estudando. Estudar e trabalhar se tornou o centro da sua vida, e isso é um problema, Tatiana.

— Mãe... — tentei retrucar, mas ela não deixou.

— Não, Tatiana, me escute um pouco, está bem? Você tocava no ministério de louvor da juventude, mas saiu porque queria se dedicar mais aos estudos. Parou de treinar o violino, abandonou o curso de libras, nunca vai às festas de família... — Ela suspirou, parecendo cansada, e eu me senti um pouco mal com o rumo da conversa, mas permaneci quieta e ouvindo. — Você sempre diz que tem que estudar e não tem tempo para outras coisas. Saiba, minha filha, que essas outras coisas são tão importantes quanto. Faz parte de viver, e acho que você tem vivido mal. E o que mais me preocupa é que o seu sonho tem tomado mais espaço do que deveria. Será que ele não se tornou um ídolo em seu coração?

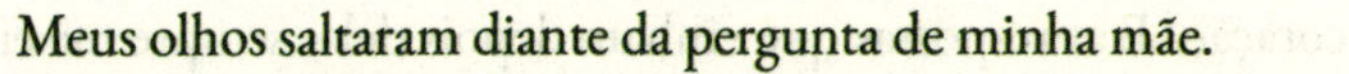

Meus olhos saltaram diante da pergunta de minha mãe.

— Claro que não é isso, mãe! — rebati ferozmente, me remexendo na cama. — Eu não idolatro a gastronomia, é só o meu sonho...

— E se o sonho não for realizado, Tatiana? E se as portas não se abrirem? E se todo o seu esforço for em vão? Já parou para pensar nisso? Do jeito que você está obcecada por estudar, trabalhar e entrar para o curso, fico receosa de que, se você não conseguir, acabe entrando numa tristeza profunda. E eu não quero isso para sua vida, minha filha.

Fiquei muda diante das perguntas difíceis da minha mãe. Afinal, eu nunca havia pensado naquela possibilidade. Mesmo sabendo que poderia não ganhar a bolsa ou ter que trabalhar mais para juntar dinheiro, sempre pensei que de um jeito ou de outro eu conseguiria realizar meu sonho. Não conseguir nunca foi uma opção.

— E quanto ao mais importante, Tati? E Deus e você? Como anda seu relacionamento com o Pai?

— Bem... — hesitei, pensando um pouco em como eu estava relapsa naquele aspecto.

— Você tem orado? Tem se dedicado à leitura da Palavra? Tem buscado estar mais perto de Deus?

Engoli em seco, fugindo dos olhos sérios de minha mãe.

Ao longo dos anos, ouvi aquelas mesmas perguntas mais vezes do que eu poderia contar. Desde que me descobriu em sua barriga, minha mãe já me ensinava sobre o Senhor e tinha prazer em me instruir, aproveitando todas as oportunidades para que eu crescesse na fé.

O plano da redenção em Cristo havia sido contado e recontado em nossos cultos domésticos. A leitura da Bíblia e a oração, incentivadas constantemente. E aquelas perguntas foram repetidas inúmeras vezes por meus pais para saber como andava o meu

coração. E as respostas que vinham depois delas sempre me ensinavam de alguma forma.

Como não falei nada, minha mãe prosseguiu:

— Qualquer coisa que a gente ame e queira mais que a Deus é um ídolo em nosso coração, minha filha. Não permita que nada, nem mesmo o sonho mais lindo, ocupe o centro de sua vida. Estudar é necessário, trabalhar também, temos que nos esforçar pelo que queremos, as coisas são conquistadas com muita luta, e disso você sabe. O sucesso profissional é bom, seu sonho também, mas não permita que ele ocupe um espaço que não é dele em seu coração. Nem que ele governe sua vida, nem que você adoeça por isso.

Minha mãe permaneceu em meu quarto conversando comigo por longos minutos, e quando saiu me deixou bastante reflexiva. Fiquei me perguntando se o meu sonho, o desejo de ingressar no IGR, e todo o meu esforço para isso não estavam se tornando um ídolo em meu coração.

Será que minha mãe tinha razão?

Eu queria a gastronomia mais que tudo, e isso não podia negar. Mas será que eu queria mais a gastronomia que a Deus? Fazia tanto tempo que não me dedicava a estar com ele, e eu amava os nossos momentos juntos. Amava todas as vezes que eu ficava sozinha no meu quarto cantando e tocando violão. As vezes que fazia orações sem me importar com o tempo e com as palavras certas.

Percebi que minhas últimas orações eram somente para pedir a vaga no curso de gastronomia. Nem me preocupava em adorá-lo e estar com ele, mas somente em pedir repetidamente o que eu queria como se fosse uma espécie de mantra. Só então me dei conta do quanto o meu coração sentia falta. Por isso, com os olhos fechados me ajoelhei na beirada da cama e com o coração apertado fui orar.

Nos dias que passei em casa sem ir para a escola e o trabalho, eu me permiti realmente relaxar como não fazia havia muito tempo. Cozinhei bastante, testei novas receitas, coloquei em dia minhas séries preferidas de culinária e dei prioridade ao que de fato era mais importante.

Organizei melhor meu tempo para ler a Bíblia e orar mais, sem pedir pela vaga de gastronomia. Tinha certeza que Deus estava bem ciente do que eu queria. Então, comecei a pedir que Deus cuidasse do meu coração e me ajudasse a organizar minhas prioridades.

Também dediquei tempo para estar mais perto de minha mãe. Conversamos, rimos e assistimos a diversos filmes melosos que ela adorava. Dei uma ajuda para ela em seu pequeno ateliê de costura e vi mamãe empolgada ao falar sobre as novas encomendas que chegavam.

Também criei coragem para contar à minha mãe a decisão de dar meu dinheiro para a cirurgia de vovó. Ela ficou muito surpresa e até tentou me convencer do contrário, alegando que não era minha obrigação e que eu havia trabalhado tanto para ter aquele dinheiro.

No entanto, afirmei que não fazia sentido eu ter a quantia de que minha avó precisava e não oferecer ajuda. Disse à minha mãe que eu sabia o que estava fazendo e que era por amor, porque eu amava minha avó e a vida dela era muito importante para mim.

Mamãe chorou, agradecida e emocionada. Me senti feliz por estar fazendo algo bom, ainda que parte de mim, a que sonhava com o curso de gastronomia, tenha se entristecido. Mas não deixei o sentimento me dominar. Continuaria estudando, trabalhando e me esforçando para chegar lá. Com moderação, é claro.

Aqueles dias de puro descanso me fizeram perceber o quanto minha vida estava mesmo acelerada. Foi preciso que eu passasse mal para finalmente ouvir minha mãe e perceber que ela sempre tivera razão em todas as vezes que me aconselhava. Pisar no freio estava sendo ótimo para ver que eu podia e precisava ter momentos de lazer.

Na sexta-feira seguinte, finalmente voltei à escola e fui para a cafeteria de tarde. Fui recebida com abraços calorosos e muitos sorrisos. Todos me perguntando como eu estava e me aconselhando a cuidar melhor de mim. Bom, eu estava disposta a fazer aquilo mesmo.

Nicolas se aproximou com o habitual carisma e sorriso espoleta.

— Que bom que você está de volta, Tati. Se precisar novamente de um homem forte, estou por aí. Só chamar, beleza? — E o engraçadinho ainda me deu uma piscadela.

— Pode deixar que se eu precisar de um paspalho eu grito o seu nome, Nicolas.

Nós rimos um para o outro. Até das farpas trocadas com Nicolas eu senti falta.

Desde o dia do meu retorno para o café, Nicolas e eu ficamos próximos. Não como grandes amigos, mas eu passei a ser mais tolerante com ele. Nicolas era bastante atrevido e irritante na maioria das vezes, mas ele tinha uma parte legal e me fazia rir quando estava sendo genuinamente engraçado e não um completo idiota.

Num dia de sábado, deixei o *food truck* sob uma tarde alaranjada de setembro e parei com a mochila nas mãos admirando

aquela paisagem espetacular. Não existia artista mais talentoso que Deus. Sorri diante daquele momento cotidiano, mas tão deslumbrante.

Nicolas me encontrou ali, falando alguma coisa sobre chocolate em sua roupa e juntos seguimos para o BRT. O garoto realmente estava com um cheiro fortíssimo de chocolate e descobri que um cliente desajeitado havia derramado a bebida nele.

Tadinho, pensei, ao reparar na mancha marrom enorme em sua blusa verde. E, de repente, fui tomada por uma crise de riso ao lembrar que aquilo talvez fosse o troco por ele ter derramado bebida em mim uma vez.

— Tá rindo de quê, Tati? — Nicolas me perguntou, e contei o motivo da risada. Ele fechou a cara, mas via-se em seus olhos que ria.

— Eu percebi naquele dia da festa que você odiou saber que nós iríamos trabalhar juntos — comentou ele. — Mas agora você me ama, não é?

— Uma vez convencido, sempre convencido — resmunguei, entrando no vagão do ônibus e sentando no primeiro assento vago. Por sorte, Nicolas sentou-se ao meu lado. Rapidamente o BRT lotou como de costume.

— E, para deixar claro — falei, quando ele guardou o celular no bolso do *jeans* —, eu não odiei, eu gostei bem pouco ou quase nada de saber que você trabalharia no café comigo, pois eu esperava que sua vaga fosse dada a outra pessoa.

A expressão confusa no rosto de Nicolas me fez contar a ele toda a situação.

— Estou até me sentindo mal por ter aceitado o emprego, mas em minha defesa — Nicolas baixou o tom de voz quase sussurrando ao meu lado —, eu precisava do trabalho. Meu pai tomou uma volta do sócio dele e perdeu tudo. Estamos zerados. Falidos, acredita?

Não, eu não acreditava. Fiquei muito surpresa com o que Nicolas foi me contando. Segundo ele, sua família estava sem grana e cheia de dívidas. Seu pai estava bastante deprimido e sem saber o que fazer, e a mãe de Nicolas surtando porque talvez teriam que vender o apartamento e o carro para quitar as dívidas.

Puxa! Eu não imaginava que a vida de Nicolas estivesse tão complicada. Ele estava trabalhando para ajudar os pais. Isso me surpreendeu, e nem soube o que dizer.

Ao final da conversa, fui eu que fiquei me sentindo mal por tê-lo julgado tanto. Até pedi desculpas a Nicolas, que afirmou com seu típico sorriso de canto que não tinha nada para me desculpar.

— Por um lado — ele tornou a dizer —, essa desgraça serviu para alguma coisa, não é? Finalmente arranjei um emprego e estou aprendendo a me virar. Tem sido muito bacana, Tati.

— Adeus vidinha de playboyzinho — brinquei, tirando uma risada nossa.

Nicolas insistiu em caminhar comigo para casa. Como nossa conversa estava tão boa, deixei que ele fosse. Falamos mais sobre sua família, até que ele me perguntou sobre o Enem e o curso de gastronomia que eu queria fazer. Falei tanto que me esqueci que era um diálogo e não um monólogo.

Nicolas sorriu e disse:

— Adoro a maneira como você se anima pra falar dos seus sonhos, Tati. É contagiante.

Fiquei um pouco sem graça, mas sorri de volta, pois eu amava mesmo falar da minha paixão por cozinhar e dos meus planos para o futuro. Descobri ali, enquanto caminhávamos juntos, que eu adorava conversar sobre isso, e outras coisas, com Nicolas.

Talvez ele realmente estivesse se tornando um amigo. Essa ideia me animava. Afinal, quem diria que eu criaria um elo de amizade com Nicolas?

— Te vejo na segunda — ele se despediu quando chegamos em frente à minha casa.

— Obrigada por me acompanhar — agradeci. — Te vejo segunda, então.

Acenei de volta, tentando ocultar meu sorriso bobo, e entrei em casa.

Não foi difícil marcar a cirurgia quando se tinha dinheiro para pagar. Todo o procedimento aconteceu muito rápido. Minha avó retornou para casa horas depois e, mesmo com um olho enfaixado, sorria muito feliz e não parava de me agradecer por lhe ter dado aquele presente. Era minha avó e eu a amava. Graças a Deus eu pude ajudar.

Beijei o rosto enrugado de vovó enquanto notava, surpresa, que eu sentia paz no coração e realmente estava feliz por ela. Talvez eu tivesse juntado o dinheiro para aquilo. Algumas coisas na vida se encaixam de uma forma bastante inusitada, pensei, e sorri para mim mesma conforme subia as escadas de casa. Meu celular vibrou com mensagens. Eram de Nicolas.

Ei. Como está sua avó?

Digitei:

Ela está ótima. Tão animada que nem parece que passou por cirurgia.

Nicolas: *Que bom, Tati. Fala pra ela que eu mandei melhoras, hein.*

Comecei a rir e digitei:

Nicolas, ela nem te conhece. Você é demais.

Nicolas: *Eu tento, né. Rsrs. Então, o que você vai fazer mais tarde?*

Respondi que iria estudar.

Nicolas: *Ah, não vai, não. Topa comer um rodízio de comida japonesa?*

Eu: *Com você?*

Nicolas: *E com a Lorena também, antes que você pense que eu estou te chamando pra sair.*

Como se ele já não tivesse tentado e eu deixado claro que não estava pensando em relacionamento no momento.

Outra mensagem de Nicolas surgiu na tela do meu celular.

Nicolas: *Mas, se você preferir um programa a dois, eu jogo a Lorena pra escanteio. Basta me dizer.*

Sorri. Ele era mesmo demais.

Eu: *Puxa, quanta consideração com nossa amiga em comum. Topo o japonês. Com a Lorena, tá?*

Nicolas me enviou risadas e me vi ansiosa para poder sair com meus amigos. Quem diria que eu deixaria uma noite de estudos para me divertir.

Mais tarde, naquela noite, após um tempo muito prazeroso com a Lorena e o Nicolas, percebi o quanto havia perdido tirando os momentos de lazer da minha vida, substituindo tudo por minha rotina intensa de estudos e trabalho.

Era bom estar com amigos, me divertir, me sentir relaxada e feliz com coisas simples da vida. Com certeza eu faria aquilo mais vezes. Foi preciso que eu estivesse mal para que desse valor a esses momentos que também eram importantes. Agora que havia entendido tantas coisas eu faria mudanças necessárias para viver melhor. E, sendo sincera, eu estava gostando de cada uma delas.

Epílogo

Muita coisa boa aconteceu nos últimos meses.

Lorena havia passado no vestibular para Direito e estava se mantendo longe dos garotos. Finalmente ela havia decidido guardar o coração.

Nicolas deixou a vida de curtição e encarou o trabalho duro no café, se dedicando de verdade. Também descobriu que tinha uma vocação para fotografia e decidiu investir na profissão. E, o melhor de tudo, ele começou a visitar a igreja de Roni e dizia estar vivendo uma fase de reconexão com Deus. Fiquei muito feliz por ele.

Nós nos tornamos melhores amigos. E talvez algo mais esteja surgindo entre nós. Nunca imaginei que pudesse gostar tanto de Nicolas a ponto de me apaixonar por ele. Mas esse é um assunto para outra história.

Sobre minha mãe, ela estava realizando o sonho antigo de abrir uma loja de roupas. Tia Landa surgiu com uma inesperada proposta de sociedade. Mamãe agarrou aquela oportunidade e ficou radiante com o rumo que sua vida profissional estava tomando.

Quanto a mim, bom, consegui a minha tão sonhada bolsa no instituto de gastronomia. E, por mais que eu tenha me esforçado, atribuí aquela vitória a Deus. Sabia que ele havia aberto aquela porta para mim e estava tornando o meu sonho realidade. Sabia também que não merecia nada daquilo, mas Deus continuava sendo inexplicavelmente bom, e eu era muito grata.

Quando peguei meu avental branco com a logomarca do instituto, chorei. Foram lágrimas de gratidão a Deus por aquele presente, lágrimas por todos os meses que me dediquei estudando, lágrimas de saudades do meu pai, que se estivesse ali comigo teria ficado orgulhoso com o que eu já havia conquistado.

A nova fase da minha vida estava acontecendo bem vibrante diante de mim. Ainda levaria muito tempo para que me tornasse uma grande *chef* e tivesse meu restaurante. Eu tinha muita estrada para percorrer e me recusava a trilhar aquele caminho sozinha. Deus estava comigo e, certamente, ele me guiaria em tudo.

Apenas seguiria sendo corajosa, me esforçando, trabalhando duro, dando sempre o melhor de mim e, como me instruiu meu pai, nunca me esquecendo do que é realmente o mais importante.

Encontrada

Maria S. Araújo

Bíblia
Sagrada
Ella

Esta é a história de uma garota de coração gentil. Ella era filha única de um casal muito carinhoso. Mas tudo começou a desmoronar quando a menina tinha dez anos e sua mãe teve um aneurisma cerebral e faleceu. Foi tudo muito rápido, tanto que Ella não se lembra com detalhes desse momento difícil. Restaram, então, seu pai e ela naquela casa enorme, e um se apegou ao outro como nunca. Fernando sabia que deveria cuidar para que Ella se tornasse uma mulher digna e forte como sua querida falecida.

Quando Ella tinha doze anos, chegou à igreja deles uma senhora viúva com seus dois filhos, uma menina quase de sua idade e um menino menorzinho. Ella não aguentava a ansiedade para se tornar amiga da garota, então pediu ao pai que convidasse a nova família para visitá-los. Mas o encontro não teve tanto sucesso para Ella, pois Ananda não queria correr, nem subir nas árvores, nem nadar na piscina. Só queria ficar no celular vendo tutorial de maquiagem, o que era muito chato para Ella, uma criança aventureira.

Laura Tavares, que ainda era jovem e bonita, se mostrou tão simpática e solícita que o pai de Ella começou a vê-la com outros olhos. Ele sabia que a filha precisava da figura de uma mãe, e isso encorajou-o a sair com Laura, até se ver completamente apaixonado pela viúva. Em meio ano eles estavam casados e vivendo na casa de Ella. Fernando começou a trabalhar muito mais, confiando que a filha agora tinha uma mãe para cuidar dela.

O problema foi que ocorreram mudanças na casa. Laura já não era tão amorosa com Ella e pedia muitos favores durante o dia, enquanto Ananda passava tempo com as amigas. "Jogue as roupas sujas na máquina, estou sem tempo", "Lave a louça do almoço", "Vá comprar pão para o café". Ella fazia tudo o que a madrasta pedia, afinal, seu pai a amava. Fernando, no entanto, não percebeu as mudanças.

A notícia que veio no fim do ano foi de arrasar o coração de Ella. Seu pai era a pessoa que mais amava. E agora ele também estava morto. Fernando era proprietário de uma grande empresa, com filiais em várias cidades. Com sua nova esposa cuidando de Ella, ele acabou assumindo novamente a responsabilidade pelas viagens entre as filiais, e numa delas dormiu ao volante e sofreu um trágico acidente que levou sua vida. Laura, então, ficou com a guarda legal de Ella. A partir daí, as mudanças começaram a tomar proporções maiores, a casa sofreu reformas e Ella acabou sendo transferida para um quarto no andar debaixo.

E nesse tempo todo, mesmo sendo privada de muita coisa de que uma garota de sua idade precisava, não desobedeceu. Ela nem sempre gostava de fazer tudo, mas o fato é que Laura e seus filhos eram sua única família.

A história de Ella não é de fadas, mas é cheia de luz. A vida dessa garota merece ser contada, porque, acredite, vale a pena conhecê-la.

Cinco anos depois...

Ella acordou sobressaltada com a hora. Passava das seis e ela teria que correr muito para preparar o café da manhã.

— Ellaaaaaa... — Ouviu o grito de Laura enquanto tirava o pijama.

— Estou indo! — suspirou, se apressando.

Ella entrou na cozinha e encontrou a madrasta enrolada em seu robe de seda. Os braços estavam cruzados sobre o peito.

— Foi mal — Ella disse, alcançando a geladeira e começando a tirar os ingredientes para fazer tapioca com queijo.

— Ella, desse jeito vamos nos atrasar. Como você pode ser tão descuidada?

— Mas... — Ela tentou falar, porém Laura virou as costas e começou a subir os degraus da escada.

— Sem mas. Hoje quero estar cedo no lançamento da nova marca.

Em meia hora os pratos já estavam postos sobre a mesa e Ella virava a última tapioca na frigideira.

— Bom dia — Ella cumprimentou Adriano, que nem a olhou de tão vidrado no celular.

Adriano tinha doze anos e era alto demais para a idade, e não parecia muito com a mãe, que era morena de cabelos cacheados. Ele tinha a pele branca e olhos claros.

Ananda desceu as escadas poucos minutos depois, de mau humor e com o celular em mãos enviando um áudio, reclamando de como tinha quebrado a unha na noite anterior.

— Sinceramente, Mic, passei uma hora no salão e minha unha quebra um dia depois? Ontem, literalmente, não foi o meu melhor dia. — Ananda sentou-se na bancada e lançou um olhar para Ella, pedindo tapioca. — Este queijo é *light*, certo? — perguntou, deixando o celular de lado e olhando duvidosamente para o prato.

— Sim, sim — Ella confirmou, pondo o café na mesa.

— Ótimo — respondeu, dando uma garfada mínima. — Mamãe! Vamos logo, a Mic precisa de carona — Ananda gritou e Ella reprimiu a vontade de tapar os ouvidos com as mãos. Por que, céus, ela sempre fazia isso?

— Estou indo, *baby* — Laura falou do corredor.

Ella foi para o quarto. Tinha apenas dez minutos para sair correndo de casa. Sua madrasta deixava Adriano e Ananda no colégio de carro, que sempre estava cheio com alguma encomenda da loja e, por isso, não tinha espaço para Ella. No entanto, ela até preferia ir de ônibus, para que tivesse tempo de conversar com sua amiga Jaque.

Ella já estava de uniforme e lutava para amarrar os cadarços do tênis. "Ella, você vai perder o ônibus!", falou para si própria, levantando num pulo. Alcançou sua Bíblia na mesinha ao lado da cama e a colocou rapidamente dentro da mochila.

Correu o mais rápido que pôde. A parada de ônibus ficava a duas ruas de sua casa, mas para quem estava atrasada essa distância se tornava gigantesca.

— Corre, corre! — ouviu Jaque, ao virar a esquina e ver o ônibus parado e a amiga com um pé dentro e o outro fora da porta do veículo. Ella sorriria se não estivesse com a respiração tão ofegante.

Praticamente se jogou dentro do ônibus junto com Jaque. O motorista fez cara de poucos amigos.

— Bom dia — Ella o cumprimentou timidamente e cochichou para Jaque: — Cadê o seu Jorge?

— Não sei, amiga. Será que aconteceu algo com ele? — Seu Jorge era o motorista daquele horário. Ele sempre esperava um minutinho a mais por Ella.

— Espero que não — Ella roeu o cantinho da unha do dedo mindinho e sua amiga confirmou com a cabeça.

— Você conseguiu estudar as matérias do pré de ontem? — Jaque perguntou, tentando passar pelo amontoado de pessoas.

Ella pediu a Laura que a matriculasse num pré-vestibular, mas ela alegou que já pagava um para Ananda e reforço escolar para Adriano e não tinha dinheiro sobrando para isso. Além do mais, Laura precisaria dela para ajudar a fazer o almoço. Então Jaque passava a matéria todos os dias pelo celular e Ella estudava à noite antes de dormir.

— Sim, por isso acordei tarde, nem consegui levantar para ler a Bíblia hoje. Aquele assunto de lógica quase queimou meus neurônios, garota, que negócio difícil! Reli mil vezes para entender, e assim foi ficando cada vez mais tarde. Acordei com a Laura me chamando.

— Gritando, você quis dizer?

— Pois é, mas de qualquer forma deu tudo certo.

— Sempre. Você é legal demais. Se fosse eu já tinha pirado com aquelas malucas que dividem o mesmo teto que você.

Ella sorriu e olhou ao redor.

— *Shiu*. Não fala assim.

Jaque revirou os olhos.

— É nossa parada, vamos.

Naquele dia, Ella se sentia nostálgica. Enquanto a professora falava, ela viajava em seu próprio mundo. Havia exatos cinco anos, Ella estava em seu antigo quarto cheio de bonecas e pintado de lilás com desenhos de borboletas como papel de parede. A vida era tão boa naquela época...

Ella, com doze anos, estava deitada ao lado do pai. Ele lia uma história na nova Bíblia, uma que tinha mandado fazer após a morte de sua esposa, e desde então liam juntos toda noite. A capa era personalizada em couro e pintada na cor prateada, pois era a cor de princesa, como ele explicou, e tinha o versículo de Josué 1.9 entalhado bem no meio da capa:

"Esta é minha ordem: Seja forte e corajoso! Não tenha medo nem desanime, pois o SENHOR*, seu Deus, estará com você por onde você andar".*

Fernando havia explicado para Ella que, mesmo sem a mamãe, Deus estaria sempre com ela. E até quando Deus levasse o papai para o céu ela não poderia deixar de ser forte e corajosa, pois Jesus estaria bem ao seu lado.

Ella se apoiou nesse e em todos os conselhos deixados por seu pai. Ainda doía pensar nele, mas quando a tristeza estava

tentando levá-la pra baixo ela ouvia a voz de Deus, que dizia: *Eu sou o Pai que mais te ama no mundo inteiro*. Então, ela levantava a cabeça novamente e lutava mais um dia. Só mais um, dizia para si mesma. Pensar em um passo de cada vez a ajudava a visualizar um futuro de paz, não a paz que o mundo prometia, pois essa era uma ilusão como desde muito cedo havia aprendido. Ela não precisava sofrer por antecedência, pois havia alguém arquitetando a linha de chegada aonde seus passos a levariam.

— Ella, classifique o adjunto adnominal na frase "Aquelas duas crianças bonitas adormeceram". — A garota piscou duas vezes para sair do transe. — Ella!

— Oi. Desculpa, professora Luiza — pediu, se ajeitando na cadeira, enquanto toda a turma a encarava e alguns seguravam o riso. Olhou para a frase escrita no quadro branco e disse a resposta que achava ser a certa.

— Está incorreto — a professora disse e completou: — Para de sonhar acordada, Ella. O vestibular está chegando, viu?

Ella suspirou. Esperava conseguir passar pelo menos na prova de gramática.

Felizmente, o sinal tocou e Ella começou a guardar suas coisas. Tinha plena consciência de que o vestibular naquele ano seria pra valer e estava estudando muito em casa. Seu sonho era fazer medicina veterinária numa universidade pública.

Desde criança, sua grande paixão eram os animais. Ela até teve um cachorro, Brutus. Após a morte de seu pai, ela se lembrava de ter chegado em casa da escola e não ter encontrado o animalzinho. Chorou por vários dias quando Laura lhe disse que o tinha dado a alguém, pois estava ficando alérgica aos pelos do animal.

Ella se despediu de Jaque e correu para se reunir com o grupo do trabalho que a professora Luiza havia passado.

— Podemos começar logo? — Ella perguntou, sentando-se com sua equipe na biblioteca da escola.

Após finalizar, todos se despediram e Ella saiu na velocidade da luz, pois precisava pegar o próximo ônibus. No pátio, viu que Ananda ainda estava na lanchonete com seu grupo de amigos, era o que chamavam de "a galera mais popular". Ella olhou para Ananda, que, como sempre, nunca olhava ou falava com ela na escola. Mas Ella não se importava.

— Ella! — A garota ouviu seu nome ser chamado e virou-se. Era Lucas, o colega do grupo de trabalho.

— Sim? — perguntou, quando ele se aproximou.

— Aqui, você esqueceu seu caderno — ele disse, estendendo a mão.

— Nossa, muito obrigada, Lucas. — Ela sorriu para o garoto de óculos redondos.

— De boa. E aí, está indo pra parada?

— Sim, e preciso correr.

— Olha, minha mãe está me esperando aí fora, se quiser uma carona... — Ofereceu como quem não quer nada, mas só ele sabia como ficava meio nervoso perto daquela garota.

Ella pensou por um momento, olhando a hora no relógio de pulso. Percebeu que havia perdido o ônibus e que teria de esperar mais meia hora pelo próximo.

— Vou aceitar, sim, muito obrigada.

Ele sorriu e começaram a caminhar juntos para a saída. Infelizmente, havia mais de um par de olhos a observando enquanto saía da escola.

— Aquela não é a sua irmã santinha? — perguntou Micaele, a melhor amiga de Ananda.

— Eu já disse que não somos irmãs... — corrigiu, bufando.

— Lucas, eu nem sei como agradecer. Valeu mesmo! — Lucas saiu do carro e abriu a porta para Ella descer, dando-lhe um abraço de despedida. Ela se virou para a mãe do seu colega. — Obrigada, dona Margarida.

— Por nada, querida.

— Te vejo amanhã, Ella.

Acenou um tchau com a mão e se virou caminhando para o portão, onde Laura acabava de estacionar o carro. Ella entrou em casa pela porta dos fundos, sendo seguida por Laura. Ao entrar pela cozinha, sentiu um aperto forte no braço.

— Ai! — gritou e tentou se soltar, mas Laura apertava seu braço com força e a sacudia.

— Você não cansa de me fazer passar vergonha, garota? — perguntou, finalmente soltando Ella.

— O que eu fiz? — Ella perguntou, massageando seu braço.

— E ainda tem coragem de perguntar?

— Laura, eu tive um trabalho depois da escola, só por isso demorei um pouco mais, mas eu não...

— Trabalho? Acho bom você contar essa história direito! Pensa que eu não vi você agarrada no pescoço do garoto?

Os olhos de Ella quase saltaram para fora diante de uma acusação tão absurda.

— Laura, eu só recebi uma carona até aqui porque perdi o ônibus. E foi só um abraço! Você mesma viu, a mãe do meu colega estava dirigindo o carro!

— Parece muito suspeito para mim... Quer saber? Está de castigo!

— Laura, isso não é justo!

— Espero que as atividades extras façam você refletir e ser mais cuidadosa. — Dito isso, saiu da cozinha e subiu as escadas. — Pode começar fazendo o almoço e depois correr para a loja.

— Mas eu não fiz nada de errado, ora! — Ella falou baixinho para si mesma, enquanto se arrastava para o seu quarto anexo à cozinha. Era meio-dia e ainda precisaria pensar no que cozinhar, mas já que estava mesmo de castigo ia demorar mais alguns minutos para começar a preparar o almoço.

Ajoelhou-se perto da cama e extravasou sua chateação com lágrimas. Seu coração estava apertado. Ela só desejava um pouco de crédito por parte de sua família. E mais um pouco de amor... Será que era pedir demais?

— Estou com fome! — Adriano entrou na cozinha e se jogou na cadeira da mesa.

— Estou terminando — respondeu Ella, experimentando o almoço. — Pega uma concha pra mim na gaveta?

— Estou ocupado — respondeu o garoto com os olhos vidrados no celular. — Pega você.

— Garoto viciado! Isso faz mal para os olhos e para a mente — Ella reclamou e foi pegar a colher, esbarrando propositalmente na cadeira onde Adriano estava sentado, fazendo que ele derrubasse o celular na mesa.

— Droga, Ella! Me fez perder uma jogada! — reclamou. Ella apenas deu de ombros.

— Está pronto! Pode se servir, preciso correr para abrir a loja. — Ella entrou no quarto, ao lado da cozinha, ouvindo as reclamações de Adriano sobre a comida estar muito quente.

Ao chegar à loja, as duas funcionárias já estavam do lado de fora esperando.

— Ai, meninas, desculpem a demora! — falou, abrindo o portão com o molho de chaves.

— Relaxa, Ella — respondeu Marcela, uma vendedora muito simpática.

— Você estava no calabouço outra vez? — Laís perguntou, soltando uma risada que Marcela acompanhou.

— Vocês são demais! — Ella respondeu de cara fechada. Não estava a fim de conversar sobre Laura. Ter sido chamada de mentirosa ainda doía. — Vamos entrar antes que ela chegue.

— Boa tarde! Seja bem-vinda à Laura Grife. Posso ajudá-la? — Ella saudou uma cliente que entrou na loja pouco depois de abrir. Mal tinha dado tempo de vestir o uniforme.

— Claro, querida — a senhora, que aparentava uns cinquenta anos, respondeu educadamente. — Cheguei há pouco tempo na cidade e não estava preparada para este calor todo.

Ella sorriu de forma gentil.

— A sensação é de estar assando no forno, não é?

A senhora concordou, sorrindo.

— Eu imagino que seja quase isso! — disse com uma expressão engraçada que fez Ella sorrir ainda mais.

— Venha, vou ajudar a senhora a sobreviver a esse "forno"! — Ella fez aspas com as mãos e guiou a mulher para os fundos da loja.

Passou a próxima hora ajudando a senhora elegante a escolher vários *looks* para o verão. A mulher era muito divertida e nada esnobe, ao contrário da maioria dos clientes que costumavam frequentar a loja. Apresentou-se como Simone e disse que voltaria mais vezes, desde que Ella estivesse lá para atendê-la.

Depois disso, a tarde se passou sem grande movimento. Laís, no caixa, adiantava alguns trabalhos atrasados do financeiro e Marcela experimentava novos *looks* nos manequins para exibir na

vitrine. Ella pegou um livro na mochila e se escondeu atrás do balcão para ler.

Ella trabalhava como *freelancer* havia mais de um ano na seção de resenhas de livros de uma revista famosa. Havia enviado um texto sobre um livro da moda e acabou sendo selecionada. Desde então, enviava mensalmente uma resenha e recebia uma ótima comissão por isso. Laura não podia nem sonhar com esse bico, por isso Ella usava o codinome *Princesa leitora*.

Quando Laura chegou para fechar o caixa, Ella estava passando pano no chão. Laura entrou e pisou, deixando a cerâmica branca pontilhada com seu salto fino sem nenhuma cerimônia.

— Limpa direitinho, tá? — falou, caminhando até o caixa. Marcela fez cara feia para Laura pelas costas, e Ella teve que se segurar para não rir.

— Ella, vou te dar uma carona. Mas anda logo! — Laura anunciou meia hora depois, saindo da loja e deixando as três perplexas.

Ella se apressou, trocou o uniforme e correu até o carro. Laura estava no volante, mexendo no celular. A viagem até a casa foi com Laura ao telefone com amigas, combinando algum evento. Enquanto isso, Ella estava contente pensando se Laura havia se arrependido do que tinha dito mais cedo e demonstrava isso através da carona.

Mas logo que elas entraram em casa um balde de água fria caiu sobre sua cabeça. Laura a lembrou do castigo e disse que, além de cuidar de Adriano, como normalmente fazia, Ella precisaria recortar vários papéis coloridos de ornamentação para o retiro de carnaval que as senhoras da igreja fariam.

— Laura, mas isso é muito! — Ella contestou, olhando a pilha de meio metro de papel.

— Me agradeça por ter chegado mais cedo. Agora preciso me arrumar, tenho um evento importante para ir.

— Vai mentir de novo, queridinha? — Ananda zombou, passando por ela com sua roupa de academia.

— Jesus, me ajuda! — Ella pediu por si, mas também por Laura, pois sempre que saía para algum evento, voltava fora de si e fazia alguma besteira.

— Ella! Ella!

Ella se mexeu na cama, uma voz chamando seu nome e em seguida seus ombros sendo chacoalhados.

— Laura! — exclamou ao abrir os olhos assustada e constatar que sua madrasta estava sentada em sua cama, quase caindo por cima dela.

— Precisamos ter uma conversinha...

— Está muito tarde, vai pro seu quarto, Laura. — Ella tentou pegá-la pelo braço, mas Laura a empurrou. O que Ella temia estava se repetindo.

— Por que seu pai foi me deixar sozinha? Aquele egoísta! — reclamou e soltou um muxoxo. — O Fernando não podia ter feito isso, e ainda me deixar para cuidar de uma garota mimada! Sim, você não passa de uma garota mimada e feia.

Ella tentava não levar as palavras de Laura ao coração, pois só falava isso por estar bêbada.

— Sabe, Ella... — Laura continuou com o discurso, agora de pé, cambaleando de um lado para outro. Ella se pôs de pé também. — Mesmo você sendo essa garota chatinha, eu sou a única pessoa que te ama, e eu amo muito! — Laura disse e cambaleou para fora do quarto, caindo sentada no chão da cozinha.

Ella foi até a madrasta e a ajudou a levantar-se, mesmo sob reclamações, e a subir para o quarto. No outro dia Laura não se lembraria de nada. Ella voltou para a cama, as palavras de Laura se repetindo em sua mente e o sono demorando a voltar.

O dia seguinte foi duro. Ella estava caindo de sono e não conseguiu prestar atenção em quase nada das aulas.

— Amiga — Jaque a chamou ao fim da última aula —, você vai conseguir ir no encontro dos jovens hoje à noite?

Ella havia esquecido completamente! Lá se foi seu plano de dormir após preparar o jantar. Isso se ela tivesse a sorte de Adriano não precisar dela.

— Pela sua cara já sei... Poxa, Ella!

— Não sei como vai estar o humor da Laura hoje, mas vou tentar.

Jaque a abraçou e caminharam juntas até o portão da escola.

— Se o cursinho não fosse o caminho oposto da sua casa, a gente dava uma carona — disse Jaque, abraçando a amiga uma última vez e entrando no carro.

— Você vai para o encontro, não é, minha filha? — o pai de Jaque, pastor Jair, perguntou a Ella, que fez uma cara engraçada de incerteza.

Após seu expediente na loja, Ella foi para casa e encontrou Laura à sua espera na cozinha, agindo como se nada tivesse acontecido na noite anterior.

— O pastor Jair me ligou — Laura soltou, seguindo Ella até o seu quarto.

— Eu não falei nada! — Ella virou-se rapidamente, largando a mochila na cama.

— Claro, não tem nada para se falar... — Ella pegou a indireta e permaneceu calada. — Ele disse que precisa de você hoje à noite, eu não ia deixar, já que você está de castigo, mas meu coração é tão mole que não resisti. Esteja em casa às nove horas.

— Tudo bem — Ella concordou, segurando o sorriso de felicidade.

— Ella! — ouviu Ananda gritando seu nome. — Ella! — Ella caminhou calmamente até o quarto de Ananda.

— O que foi? — perguntou, encostando-se na porta.

— Preciso de ajuda para vestir isso. — Ananda apontou para a calça *jeans* empacada no meio de suas coxas.

— Ok. — Ella se pôs a ajudá-la na missão impossível. Alguns minutos depois já estava sem ar e a calça tinha subido muito pouco. — Por que você não tenta uma maior? — perguntou com delicadeza.

— Você está me chamando de gorda?! — Ananda falou tão alto que Ella se assustou.

— Não! Claro que não! Seu corpo é perfeito. — Ella tentou falar, mas Ananda já estava vermelha de raiva.

— Você é uma ridícula! Nunca se olhou no espelho? Com essa aparência sem graça ninguém nunca vai te amar. E ainda se acha melhor do que eu! — Ananda sorriu com amargura.

— Mas eu não... — Ella tentou se defender, mas foi em vão.

— Eu te odeio! Sai daqui agora!

Laura apareceu na porta do quarto. Ella olhou para a madrasta com olhos esbugalhados.

— Ella, você não ouviu? — Laura disse e correu para o lado da filha. — Eu te ajudo, filha. — Ella olhou para as duas e sentiu seu coração sendo quebrado, mais uma vez.

Após preparar o jantar, saiu de casa às pressas para pegar o ônibus. O encontro seria na casa de Ruan, filho do líder de jovens. Ao chegar, a maioria do pessoal estava na varanda, inclusive Ananda, que foi de carro e chegou primeiro. Ela vestia um lindo vestido floral, que caiu perfeitamente em seu corpo, e nem ao menos olhou em sua direção. Ella cumprimentou seus amigos e se pôs a procurar Jaque.

— Ruan, você viu a Jaque? — perguntou ao entrar na casa.

— Sim, está na cozinha.

Ella agradeceu e continuou caminhando.

Ruan ficou alguns minutos olhando-a se afastar. Ele era deslumbrado por Ella, não só pela linda pele bronzeada, os cabelos loiros ondulados, os olhos claros e a face meiga e tímida, mas também seu jeito humilde, seu caráter e bom humor o fascinavam. Ela se destacava entre as demais e parecia nem se dar conta disso.

O encontro de jovens havia sido tão bom que Ella acordou restaurada no dia seguinte. Pôde deixar o peso de seu coração para trás e permitir que Jesus cuidasse dela. Não se sentia amada por sua família, mas precisava manter em mente o que o seu pai lhe havia ensinado: Deus sempre a amaria. E iria se agarrar a essa promessa.

Ella conseguiu, milagrosamente, pegar o ônibus no horário certo, e até o seu Jorge estava no lugar de sempre. Ela sorriu feliz para ele, que retribuiu, desejando-lhe um bom dia.

As aulas do primeiro horário passaram rápido.

— Você está tão animada hoje, nem parece aquela garota pra baixo de ontem à noite — Jaque disse, enquanto elas caminhavam até a lanchonete no recreio.

— A vida é uma loucura, né? Um dia estamos de boa, outros nem tanto. Estou num treinamento, tentar transformar o mal em bem.

— É isso aí, garota! Gosto de te ver assim. Podíamos aproveitar para estudar álgebra com essa energia toda.

— Ih, mas também não é pra tanto! — Ella fez uma careta e Jaque sorriu. — Não vamos estragar o dia, ok?

Elas estavam sentadas na lanchonete quando ouviram um burburinho. Um grupo havia acabado de sentar numa mesa próxima,

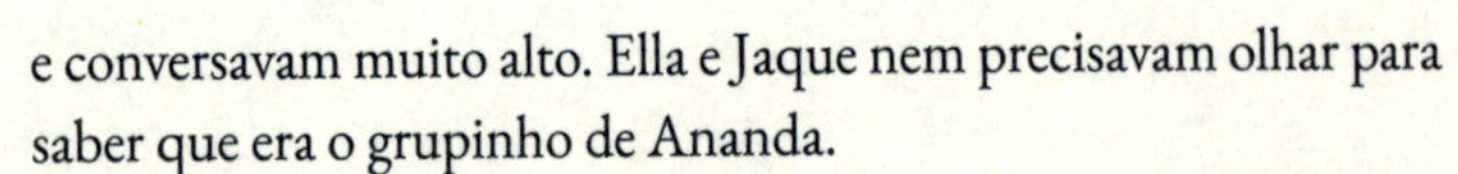

e conversavam muito alto. Ella e Jaque nem precisavam olhar para saber que era o grupinho de Ananda.

— Gente, que filme *top*! Vocês precisam assistir — Ella ouviu Ananda falar.

— Vamos sair daqui? — Ella pediu, levantando-se, pois precisava de silêncio para ler um livro.

— É pra já! — disse Jaque com uma coxinha nas mãos, e saíram rumo à sala vazia.

A tarde não foi tão tranquila quanto a manhã. A loja recebeu uma encomenda de roupas e Ella precisou, junto com Marcela, colocar cada peça no lugar correto. E para Laura, que passou a tarde dando ordens, nenhum lugar estava bom.

Ella chegou em casa sentindo-se morta de cansada. Para completar, Adriano, que estava na sala jogando videogame, começou a reclamar de fome. Como Ella estava exausta, resolveu fazer apenas sanduíches. Ouviu Ananda reclamando da comida, mas nem ligou.

Tomou um banho relaxante e sentou-se na cama com o seu lanche e a Bíblia que o pai lhe dera. Passou a mão pela capa sentindo nostalgia e uma saudade sem tamanho.

Ella abriu na passagem que o líder de jovens havia lido na noite anterior, e foi como um bálsamo para a sua alma ferida. Ela desejava guardar essa palavra para sempre no coração.

As palavras de Ananda e Laura a haviam machucado, mas ela sabia que, se guardasse essas mágoas, elas ficariam cada vez maiores e isso acabaria por afastá-la de Deus. Então, decidiu entregar tudo a Jesus. Ele saberia melhor como cuidar da sua ferida e ajudá-la a superar essa situação.

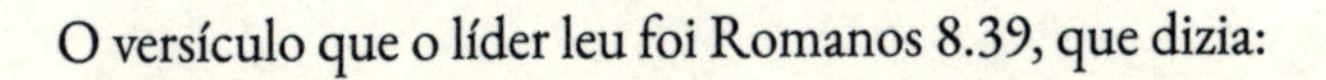

O versículo que o líder leu foi Romanos 8.39, que dizia:

Nem altura nem profundidade, nada, em toda a criação, jamais poderá nos separar do amor de Deus revelado em Cristo Jesus, nosso Senhor.

Os olhos de Ella se inundaram ao reler esse verso. Se nada no mundo poderia separá-la do amor de Deus, como ela permitiria que uma mágoa fizesse isso?

Mesmo que ela não fosse suficiente para as pessoas ao seu redor, mesmo que se sentisse constantemente um fardo e às vezes só quisesse nutrir o rancor e desistir de tudo, Deus a queria perto dele, e nada faria com que ela fosse separada de seu amor. Jesus era maior que tudo, maior que toda dor, dificuldade e incompreensão. E era isso o que mantinha a sua fé acesa.

— Anda logo, Ananda! — Ella chamou praticamente implorando. Estava com sua mochila nas costas e segurava a mala de Ananda, que continha o suficiente para um mês fora de casa. — Vamos perder o ônibus! Cadê a regra do *só carregue aquilo que consegue levar?* — exclamou para si mesma enquanto conferia a hora no celular.

— Calma, sua chata! Uma beleza como a minha precisa ser realçada com os *looks* certos, não é como você, que não tem estilo nenhum... fica estranha em tudo! — Ella revirou os olhos enquanto observava que Ananda havia se produzido toda para ir ao retiro de carnaval de jovens da igreja. Até salto alto ela usava.

— Só vamos, ok? — pediu Ella enquanto enviava uma mensagem de texto para Jaque, avisando que estavam saindo de casa. Ananda entrou no carro de Laura e Ella teve que pôr as malas no porta-malas, pois a garota disse que se sentia fraca devido ao café da manhã simples.

Ella já podia prever como seriam os próximos dias no litoral. Pelo menos estaria com sua amiga Jaque. Ainda havia esperanças de ter um bom tempo.

Ao parar em frente à igreja, Laura desejou boa viagem à Ananda e deu-lhe dinheiro.

— Ah, e Ella? — Laura chamou quando Ella estava de saída do carro.

— Sim? — Ella esperou ansiosamente ouvir uma palavra gentil.

— Não esquece que você vai para cuidar da Ananda, então é bom não aprontar nada. Agora fecha a porta.

Ella respirou fundo e saiu sem olhar para trás. Contudo, infelizmente foi chamada por Ananda.

— Ella, não está se esquecendo de nada? — perguntou com as mãos na cintura. Ella precisou voltar e tirar a mala do carro.

— Ella! — Jaque acenou.

— Oi, amiga! Oi, pessoal! — Ella cumprimentou os amigos e se pôs a ouvir o assunto: vestibular. Todos estavam ansiosos pela prova e alguns estavam indecisos sobre o que desejavam fazer. Uma menina queria fazer pedagogia, mas a mãe insistia em medicina, e ela contava como estava sendo complicada a situação.

Em alguns minutos, todos estavam dentro do ônibus. Ella colocou seu fone de ouvido e se pôs a ouvir sua *playlist* do momento. As músicas falavam profundamente ao seu coração e logo ela adormeceu, nem se atentando à bagunça geral que a galera estava fazendo.

— Ella! — Ananda a chamou para pegar sua mala. Ella ia respondendo que Ananda tinha duas mãos, quando Ruan apareceu e pegou a mala.

— Ananda, tem chumbo aqui dentro?

Ella segurou o riso e Ananda mostrou a língua para Ruan.

— Obrigada — Ella respondeu. Ananda apenas seguiu em frente fazendo bico e dizendo que ia escolher a melhor cama, sem se dar ao trabalho de agradecer.

— Por nada! Vamos lá encontrar a galera?

Caminharam juntos até a área central, onde o líder de jovens esperava o grupo para apresentar as regras.

— Ei! — Jaque chamou no meio de um grupo. Os dois se aproximaram. — Quero apresentar vocês a Henrique. Ele se mudou

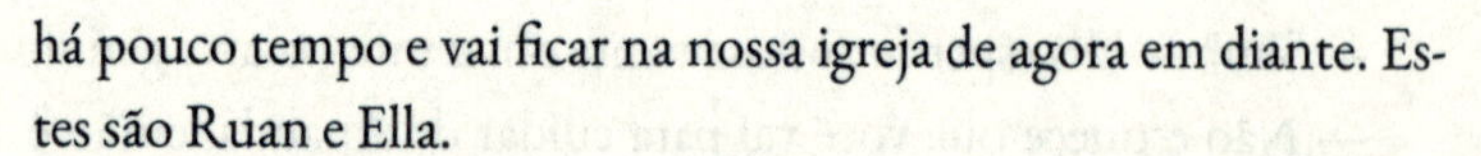

há pouco tempo e vai ficar na nossa igreja de agora em diante. Estes são Ruan e Ella.

— E aí, cara. Prazer — cumprimentou Ruan com um aperto de mão. Ella fez o mesmo.

— Bem-vindo — disse a menina.

— Obrigado — Henrique respondeu com um sorriso.

— Henrique, oi! Não sabia que você também viria! — Ananda deu um beijo em cada lado do rosto do rapaz e o abraçou.

Ella precisou se segurar para não soltar uma gargalhada. Ela ouviu a própria Ananda falando que só iria por causa desse tal de Henrique que havia chegado na igreja. Era Henrique pra cá, Henrique pra lá... Ella já não aguentava mais!

— Oi, Ananda. Sim, mas vim de carro porque não vou poder ficar até o final.

— Entendi... Me dá licencinha. Ella, vem aqui. — Do nada, Ananda falou e puxou Ella pelo braço, de forma nada delicada, para longe do grupo.

— O que eu fiz desta vez? — Ella perguntou, impaciente. Estava cansando das maluquices de Ananda.

— Não se faz de sonsa! Eu vi muito bem você dando em cima do Henrique, sua assanhada! — Ananda estava sussurrando, mas seus olhos eram como fogo.

— O quê? — Ella exclamou surpresa. Por essa ela não esperava!

— É isso mesmo! É bom você manter a distância dele ou eu te mato!

— Ananda, eu só dei as boas-vindas ao rapaz e...

— Ella, vem — Jaque chegou, interrompendo a conversa. — Para que já tá feio, Ananda. — E saíram juntas para outro lugar, enquanto Ananda voltou toda sorridente para perto de Henrique, que havia observado a cena com estranheza.

Graças à Jaque, elas haviam ficado em um quarto separado de Ananda, o que ajudou a diminuir o contato entre elas. Após os jogos noturnos de abertura, todos foram para os alojamentos. Ella estava pegando no sono quando Jaque pulou em sua cama, entrando embaixo das cobertas.

— Jaque Gonçalves, eu quero dormir — pediu meio grogue.

— É rápido! Só queria dizer que o Henrique não combina muito com a Ananda, isso é fato. Mas ela não desgruda dele, você viu? E quando ela disse que só ia se fosse no time em que ele estava? Que vergonha alheia eu senti, sem noção demais.

— Hum — Ella grunhiu quase caindo no sono.

— Na minha opinião, eles perderam por causa dela. Você viu que ela passou o campo de lama na ponta dos pés?

— Que eles se casem e sejam muito felizes... boa noite. — Ella virou para o outro lado e caiu no sono que já estava pesado demais para suportar. Jaque pulou de volta em sua cama e se obrigou a acalmar a euforia e dormir.

Os dois dias seguintes foram divididos entre muitos jogos, diversão e momentos profundos de adoração e louvor. Com certeza, Ella sairia renovada daquele lugar. De vez em quando ouvia Ananda chamando seu nome, pedindo que ela fizesse alguma coisa, mas isso ocorreu menos do que ela esperava. O foco de Ananda estava mesmo em um certo rapaz.

No último dia, à noite, eles tiveram uma festa temática "Luau" à beira da praia. Uma convidada especial palestrou sobre a importância de entregar os sonhos a Deus. Não importava quão grandes fossem, o Senhor iria cuidar deles e direcioná-los conforme seus propósitos.

Ella só conseguia pensar em seu sonho de cursar veterinária, poder ter seu cantinho e um cachorro para chamar de Brutus e lhe dar todo o amor. Ela se deixou levar por esse sonho e se permitiu

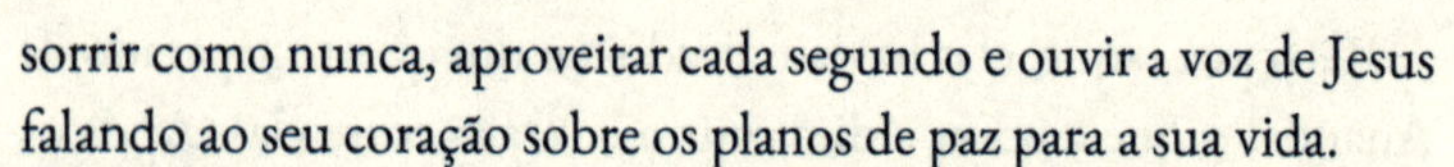

sorrir como nunca, aproveitar cada segundo e ouvir a voz de Jesus falando ao seu coração sobre os planos de paz para a sua vida.

Ella se divertiu muito! Dançou e cantou tanto que só lembrou de pegar sua Bíblia quando já estava no alojamento. Assim que percebeu, voltou correndo até a praia com Jaque, mas não a encontrou mais. Com certeza alguém havia achado e iria devolvê-la logo, mas que aperto no coração estava sentindo! Era a Bíblia que seu pai lhe dera.

Era sábado de manhã e Henrique estava dando uma geral em seu quarto antes que Cidinha, secretária de sua mãe, viesse limpar ou ele ouvisse uma bronca enorme dela. Por acaso, encontrou uma Bíblia dentro de sua mochila de viagem, que ainda não havia sido desfeita. Tirou e analisou a capa por um momento, tentando recordar de onde viera.

Lembrou-se então que na noite do Luau havia trazido alguns instrumentos em seu carro e que a Bíblia estava dentro da capa de seu violão. Como havia parado lá era um mistério.

Henrique a abriu em busca do nome do dono, mas, apesar de aparentar estar bem usada e com muitas marcações, havia somente uma dedicatória.

— Para a princesinha do papai — Henrique leu em voz alta.

Ao folhear a Bíblia, um papel dobrado caiu no chão. Ele abriu e começou a ler.

"Querido Jesus, estou escrevendo esta carta após finalmente perceber algumas coisas na minha vida. Então penso que vou chamá-la de 'carta da entrega'. Vou te contar tudo o que está acontecendo dentro de mim, mesmo que as lágrimas dificultem minha visão, como está acontecendo agora..."

Henrique parou. Aquilo era muito pessoal, ele não tinha o

direito de ler a carta. Pegou-a com toda a gentileza e guardou de volta dentro da Bíblia, colocando-a em seu guarda-roupa.

— Menino Henrique? — Cidinha chamou do outro lado da porta.

— Pode entrar, amor da minha vida! — ele falou, já esperando-a com um sorriso no rosto. Quando Cidinha entrou, ele a abraçou forte e beijou suas bochechas, que ficaram coradas. A senhora de cinquenta anos ralhou, mas sem sucesso. — Senti muita saudade — ele disse, ainda agarrado a ela.

— E eu não ganho esse abraço por quê? — A mãe de Henrique apareceu na porta do quarto.

— Ah, dona Simone! Para de ciúmes, todo dia te dou um abraço desses! É que senti muita saudade da Cidinha.

A senhorinha conseguiu se livrar do abraço e começou a organizar o quarto. Ela havia praticamente criado Henrique enquanto a mãe trabalhava como promotora no Ministério Público. Agora que haviam mudado de cidade, ela viria apenas uma vez no mês, pouco para Henrique, que a considerava uma mãe e vivia reclamando de saudades.

— Vão tomar café que eu trouxe pão de queijo! — Cidinha enxotou os dois do quarto, e Henrique e a mãe saíram dando risadas.

— E então, filho, como foi no retiro? — perguntou a mãe, enquanto desciam as escadas de braços dados.

— Foi muito legal. O pessoal foi bem receptivo.

— Conheceu alguma menina interessante? — perguntou seu pai, que estava tomando café e lendo o jornal no *tablet*.

— Reinaldo! — alertou Simone.

— Ora, já faz mais de um ano, Simone. O garoto precisa seguir em frente, não é, filhão? Diz aí, conheceu uma garota bacana?

— Pai, preciso me focar na faculdade. Não posso me envolver com alguém neste momento.

Simone fez cara feia para o esposo, e Henrique sentou-se à mesa, contando mais sobre o retiro e menos sobre garotas.

À noite, Henrique pegou o violão e dedilhou algumas canções enquanto sua mente ia e voltava para a carta dentro da Bíblia. Ele sabia que não era certo, mas algo o impelia a lê-la.

— Será que devo...? — perguntou, sentado na poltrona do quarto encarando o guarda-roupa onde a Bíblia estava guardada.

Levantou-se rapidamente e pegou a Bíblia, voltando a sentar-se na poltrona. A capa era prateada e tinha um verso na frente que ele conhecia de cor.

Henrique abriu aleatoriamente. Havia uma passagem bíblica marcada. Era Filipenses 4.6:

"Não vivam preocupados com coisa alguma; em vez disso, orem a Deus pedindo aquilo de que precisam e agradecendo-lhe por tudo que ele já fez."

Ao lado, algumas anotações:

"Eu quero entregar minhas preocupações a Deus, porque se as guardo comigo, significa que não confio nele o suficiente."

Henrique sentiu um incomodo ao ler aquela frase. De repente, foi como se o próprio Deus estivesse pedindo que ele abandonasse suas ansiedades, a carga que pesava em seus ombros. Mas como ele faria aquilo?

Tudo o que ele viveu nos últimos dois anos de sua vida veio com força total. Ângela, a única namorada que teve, o ano maravilhoso que passaram juntos, e o fim, quando ela entendeu que não o amava mais e terminou tudo. Lembrou-se de como mergulhou nos estudos, permitindo-se pensar apenas no vestibular e não olhando mais para si mesmo, nem para Jesus, a quem ele dizia ser fiel. Cogitou que talvez estivesse levando a vida apenas em busca

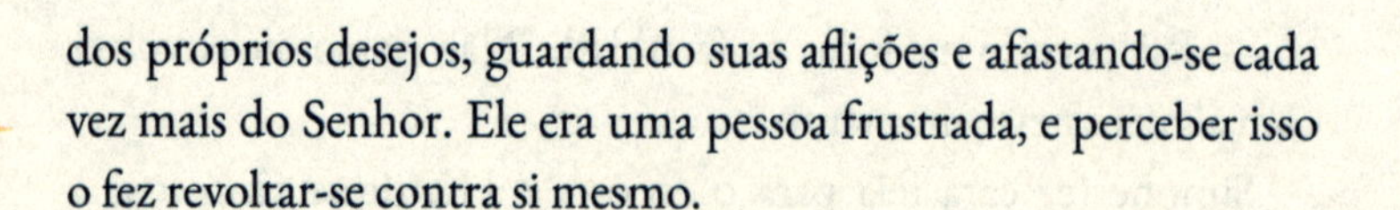

dos próprios desejos, guardando suas aflições e afastando-se cada vez mais do Senhor. Ele era uma pessoa frustrada, e perceber isso o fez revoltar-se contra si mesmo.

Havia se passado uma semana desde o retiro no litoral. Jaque tinha perguntado em todos os grupos de WhatsApp da igreja, mas ninguém sabia onde estava a Bíblia de Ella.

— Ah, amiga! Se eu não tivesse te apressado naquele dia você não teria perdido sua Bíblia, me desculpa! — Jaque disse, tentando consolar Ella.

— Jaque, não foi sua culpa, relaxa — Ella respondeu, dando um sorriso. — Estou meio triste, mas e se isso fizer parte de algum plano de Deus?

— Ella, só você mesmo para ver o lado bom em tudo! Eu já estaria me descabelando, imagina, perder a última lembrança do pai?

— Ok, você não está ajudando, Jaque! — Ella ralhou, dando um aperto em sua cintura.

— Ai! Desculpa! — Jaque pediu, percebendo a mancada.

— Vamos mudar de assunto, está bem?

— Ok... você acha que consegue ir ao reencontro amanhã à noite?

— Acho que não. O Adriano vai fazer uma festa com os amigos da escola e eu preciso ficar de olho para eles não destruírem a casa.

— Fala sério! Bom, então eu não vou também. Vou ficar com você.

Ella sorriu.

— Agradeço, mas a Laura jamais deixaria. Não tem como receber visita durante minhas tarefas.

— Você falando assim parece uma escrava. A Ananda pode levar quem quiser a qualquer hora, né?

A campainha soou avisando o fim do recreio.

— Deixa isso pra lá, vai começar a melhor aula!

— Literatura é um saco! — Jaque reclamou enquanto era praticamente arrastada por Ella.

Como Ella imaginou, Adriano e seus amigos já haviam virado a casa de cabeça para baixo. Ella entrou e correu até o quarto para trocar de roupa. Havia passado o sábado inteiro na loja.

— Ella! — Laura gritou da sala.

— Oi — respondeu, aparecendo na porta.

— Estou de saída, fica de olho nessas crianças que a bagunça está grande. Aproveita e vai limpando o que dá, porque amanhã tem muita roupa para pôr na máquina.

Laura saiu sem esperar resposta. Estava vestida de forma muito elegante, iria se encontrar com um grupo de amigas. Ella não podia, em hipótese alguma, comentar com alguém sobre as saídas da madrasta. Laura dizia que certas pessoas não sabiam aproveitar a vida. Ella orava por esclarecimento do Senhor para Laura.

Ella foi até os garotos e recebeu um jato d'água na cara. Eles estavam na piscina.

— Ei! — reclamou, mas eles sorriram ainda mais. Ella foi trocar novamente de blusa e ficou de olho neles a uma distância segura. Ficou muito grata quando duas horas depois os pais dos meninos vieram pegá-los.

Olhou para a casa e respirou fundo. O chão molhado, a pia cheia de louça suja, restos de pipoca na sala da tevê.

Às nove da noite ela se jogou no sofá da sala e respirou aliviada. A casa finalmente estava limpinha.

Seu momento de paz foi interrompido por Ananda entrando pela porta da frente.

— Entra, galera. Fiquem à vontade! — E Ella foi vendo um a um do grupo de jovens da igreja entrando na sala. Henrique e Jaque por último. Ela estava descabelada, suada, suja e usando sua roupa mais velha.

— Ai, meu Deus! — disse Ananda. — Olha, gente, eu disse que ela não foi para a igreja por pura preguiça. Devia ao menos vestir uma roupa mais decente, Ella.

Ella, que já estava de pé, saiu da sala praticamente correndo. Que vergonha sentiu. Jaque foi atrás e bateu na porta de seu quarto.

— Como você vai para a guerra e não me chama? — Jaque disse quando a porta foi aberta.

— Engraçadinha. — Ella sorriu menos tensa e se pôs a trocar de roupa enquanto ouvia de Jaque que Ananda deu a ideia de fazer um cinema na casa dela após ver o Henrique no reencontro.

Ella saiu para encontrar o pessoal ainda meio envergonhada. Mas ninguém comentou sobre o ocorrido, então ela relaxou.

— A Ella vai fazer pipoca pra gente! — Ananda disse e todo mundo comemorou. Ella estava morta de cansada, se estivessem apenas as duas mandaria Ananda usar as próprias mãos, mas não podia recusar o pedido na frente de todo mundo após a vergonha da noite.

— Eu ajudo — Henrique disse quando Ella se levantou.

— Ah, então eu vou ajudar também. Vai ser mais rápido — Ananda falou depressa.

— Não precisa, fica aí fazendo sala pra galera, escolham o filme — disse Henrique.

Sem graça de rebater, Ananda acabou ficando quieta, ainda que claramente estivesse morrendo de ciúmes.

— Henrique, não precisava — Ella disse, pegando o pacote de pipoca no armário da cozinha.

— Precisava sim. Você estava no mesmo estado que a Cidinha fica após fazer uma bela faxina.

— Quem é Cidinha?

— Minha segunda mãe — Henrique disse, aproximando-se de Ella, que parou abruptamente quando sentiu as mãos do garoto em seus ombros. Ficou tensa de imediato.

— Calma, não vamos dançar nenhuma valsa — ele sorriu, guiando-a gentilmente até uma cadeira e fazendo-a sentar-se.

— Mas...

— Mas nada! Eu sou profissional em pipoca, senta aí e relaxa.

Ella quase chorou de alívio. Seus braços e pernas estavam tão doloridos!

Henrique fez tudo enquanto Ella ouvia sobre a infância dele, como a mãe ficava muito tempo fora e, assim, Cidinha praticamente o havia criado. Henrique falava com muito carinho de sua família.

Finalmente deu tudo certo. Voltaram para a sala e todo mundo comemorou devorando a pipoca.

— Henrique, senta aqui — Ananda praticamente o empurrou no sofá e sentou-se ao seu lado, lançando uma expressão de desdém para Ella. Foi visível o desconforto dele.

Jaque puxou Ella para dividirem uma poltrona e, logo que o filme começou, Ella adormeceu.

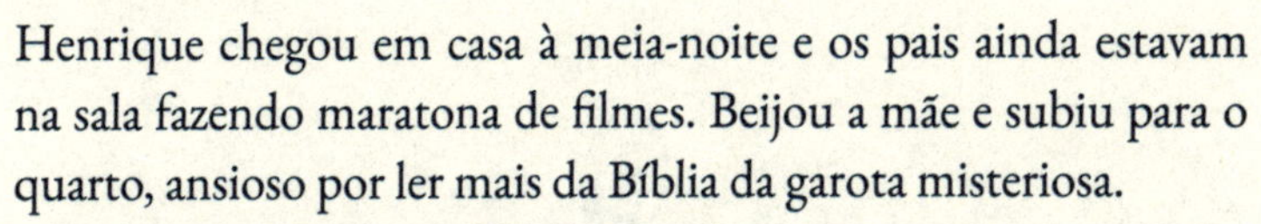

Henrique chegou em casa à meia-noite e os pais ainda estavam na sala fazendo maratona de filmes. Beijou a mãe e subiu para o quarto, ansioso por ler mais da Bíblia da garota misteriosa.

Henrique pegou a Bíblia do guarda-roupa e jogou-se na cama. Tinha passado a semana inteira, a cada dia, devorando as passagens da Bíblia com as anotações que nela havia. Sentia-se tão conectado a essa garota, *a princesinha do papai*, como dizia a dedicatória. Era como se ela compreendesse o que havia dentro dele.

Henrique sentia que Deus estava fazendo um tratamento com ele, pegando suas mágoas e desilusões mais profundas e pedindo entrega total. Não era fácil, mas ele vinha se sentindo mais e mais aberto para o Senhor.

— "Como pode o jovem se manter puro? Obedecendo à tua palavra." Salmos cento e dezenove, nove — Henrique leu em voz alta e um sorriso brotou de seus lábios ao ver o desenho de uma carinha feliz ao lado do versículo e as palavras: "*Assim eu viverei a cada dia, mesmo nos mais difíceis*".

— É isso, Jesus, vou me esforçar para viver de acordo com a tua palavra, mas me ajude, por favor.

Henrique pegou a carta e releu mais uma vez sua parte favorita. Ele teria que se desculpar pela invasão de privacidade quando a dona aparecesse, mas teria valido a pena.

O meu coração é teu, por isso cuida bem dele. Não deixes que eu guarde minhas decepções aí, mas pega para ti e joga num lugar onde elas não me alcancem. Me ajuda com este sentimento de desamparo. Me sinto tão só. Tenho tentado ser forte, então não me deixes esquecer do amor que tu tens por mim. O teu amor me basta. Se eu focar em ti, estarei segura em teus braços, meu querido Pai.

Os meses praticamente voavam. Já era o meio do ano. Dia e noite Ella seguia a mesma rotina. Ia para a escola de manhã, trabalhava à tarde na loja e fazia suas leituras para a revista quando não tinha clientes, e à noite estudava para o vestibular ou ficava de olho em Adriano.

Certo dia, Ella chegou em casa e Laura estava sentada na sala com Ananda. As feições muito aborrecidas, principalmente a de sua madrasta.

— Olha, mamãe, ela chegou! — Ananda disse, as duas levantando-se. — Essa ladra!

Laura foi até ela e pegou seu braço com força, jogando-a no sofá. Ella tentou questionar, mas sua voz não foi ouvida.

— É assim que você retribui o teto sobre sua cabeça?! — Laura disse, em pé, de frente para Ella.

— Eu não estou entendendo! — Ella proferiu num fio de voz, o coração acelerado a mil.

— Pobre Adriano, está no quarto com medo do que você poderia fazer com ele, mas eu já adianto que se tocar num fio de cabelo dele você vai morar embaixo da ponte!

Ella olhava para Laura caminhando de um lado para outro com as mãos na cintura e para Ananda com os braços cruzados e o olhar de ódio contra ela.

— Aposto que foi ela quem falou mal de mim para o Henrique me dispensar daquela forma! Deve ter seduzido o menino, essa sem-vergonha!

— O quê?! — Ella levantou-se. — Ninguém aguenta um grude como você, por isso que ele não te quis!

Ananda foi para cima de Ella e deu-lhe um arranhão no nariz e na bochecha com suas unhas grandes. Ella nem teve tempo de se defender. Laura agarrou Ananda, que puxou a roupa de Ella, rasgando sua blusa cor-de-rosa favorita. Ella pôs a mão no nariz e viu que saía um pouco de sangue. Pegou um lenço na mochila e pressionou no rosto.

— Calem a boca as duas! — Laura gritou, segurando a filha. — Ananda, este não é o ponto agora! Adriano! — Laura gritou e mandou Ananda sentar-se. Ella continuou de pé, a aflição e a agitação tomando todo o seu corpo.

Adriano desceu as escadas com um envelope azul na mão que ela reconheceu na hora. Seus olhos saltaram das órbitas.

— Foi mal, Ella — ele disse num pingo de voz e saiu correndo, deixando o envelope com a mãe.

— O que significa isso, hein? — Laura questionou, balançando o envelope no rosto de Ella. — Você anda me roubando esse tempo todo enquanto eu te dou teto e alimento?

— Não! Eu nunca na minha vida roubei nenhum centavo! — Ella se defendeu quase chorando de dor e de frustração. Aquelas eram suas economias.

— Mentirosa! — Ananda gritou, piorando toda a situação.

— É melhor você falar a verdade ou eu nem sei o que vou fazer contigo!

— Mas é verdade, Laura! Eu nunca roubei nada! Eu ganhei esse dinheiro escrevendo para uma revista.

— Mamãe, isso é mentira. Ela é uma péssima aluna, ela é burra!

— Filha, eu sei que você está frustrada, mas tente se acalmar — Laura pediu, olhando para Ananda e em seguida para Ella. — Você é uma vergonha para esta família! Deve ter puxado a mãe, só pode!

— Você não tem o direito de falar assim da minha mãe! — Ella gritou a plenos pulmões, perdendo o controle ao ouvir Laura falando mal de uma pessoa que sequer conheceu.

— Fala baixo comigo! — Laura gritou mais alto ainda, dando um tapa tão forte no rosto de Ella que ela caiu para trás, sentada no sofá.

— Laura, eu tenho feito tudo por vocês desde que papai morreu! — As lágrimas de Ella voltaram com força total, mas ela respirou fundo e continuou. — Eu fiz cada coisa que vocês me pediram, eu só queria que vocês estivessem satisfeitas, que me amassem nem que fosse um pouquinho...

— Ella, a culpa disso tudo é sua, você não vê? — Laura falou calmamente. — Você é tão egoísta! Exigente demais quando te demos tudo o que temos. É difícil amar pessoas do seu tipo, mas eu tentei durante todos esses anos, é sério.

Ella limpou as lágrimas do rosto e, levantando-se, olhou no fundo dos olhos de Laura e Ananda. Seu coração estava completamente despedaçado. Será que ela havia mentido para si própria todo esse tempo? Era mesmo uma pessoa exigente? Nunca se sentira tão confusa.

— Vai para o seu quarto, Ella. Você está definitivamente de castigo. Minha cabeça até começou a doer, e ainda tenho um jantar com um fornecedor. Ah, e isto aqui — Laura levantou o envelope — vai ficar comigo, de onde nunca deveria ter saído.

Ella correu até o quarto e pegou sua mochila da escola, tirou os livros e jogou dentro suas roupas, que eram poucas. Abriu a porta e saiu caminhando lentamente passando pela cozinha. Lembranças

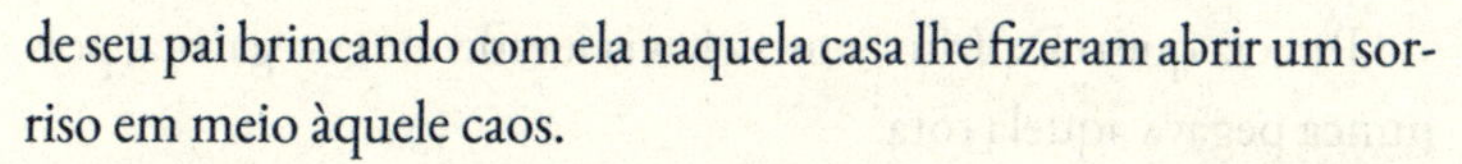

de seu pai brincando com ela naquela casa lhe fizeram abrir um sorriso em meio àquele caos.

Filha, Deus é o Pai que mais te ama. Lembrou-se das palavras de seu querido pai e, de alguma forma, sentiu uma paz a envolvendo. Lembrou-se também de um versículo bíblico que falava que a paz que Deus dá vai além do que é possível compreender. Naquele momento, quando as circunstâncias não pareciam fazer sentido, ela experimentava esse presente divino, uma paz capaz de acalmar seu coração agitado e confuso.

Na sala, não havia mais ninguém. Abriu a porta da frente, passando pelo portão sem fazer barulho, e correu até seu fôlego quase acabar e ela precisar parar. Recuperou o ar e olhou ao redor. Estava no bairro vizinho e se surpreendeu com o quanto havia se afastado sem se dar conta.

— Jesus, o que eu faço agora? — Ella percebeu que não havia como pedir ajuda, pois Laura pegou o seu celular e nem dinheiro para pegar um ônibus tinha. E, pior, já estava anoitecendo.

Um carro encostou e o coração de Ella disparou, fazendo que se levantasse da calçada num pulo. Ficou com medo de que fosse alguém querendo lhe fazer mal. Mas, para sua surpresa, era uma cliente que havia atendido várias vezes na loja.

— Dona Simone! — Ella exclamou com a mão no coração, sentindo alívio.

— O que você faz aqui, menina? É perigoso, entra no carro!

Ella não pensou duas vezes e tomou o lugar no banco do carona.

— Onde você mora? Vou te deixar em casa.

— É que, eu... — Ella tentou falar, mas se sentiu envergonhada.

— O que aconteceu com você? — Simone perguntou quando percebeu o estado da menina. Ella tentou responder, mas nada saiu, apenas lágrimas. — Vamos para a minha casa! — decidiu Simone, e pisou no acelerador.

Parecia que o Espírito Santo a havia levado até essa garota, pois nunca pegava aquela rota.

— Fique à vontade, querida — Simone disse, ao entrarem na casa, visivelmente muito luxuosa.

— Mãe?

Ella ouviu uma voz conhecida se aproximando.

— Ella?! — Henrique apareceu e sorriu com a boa surpresa. Mas logo viu as roupas da menina e as marcas no rosto e aproximou-se, tocando-o com delicadeza. — O que aconteceu com você?

Ella começou novamente a derramar lágrimas ao sentir o toque gentil de Henrique, que a puxou para um abraço, passando a mão delicadamente por seus cabelos emaranhados.

Simone e Henrique trocaram um olhar cúmplice.

Após o acontecimento da pipoca na casa de Ella, os dois haviam se aproximado mais. Gostavam de conversar, discutir sobre as mensagens dos encontros de jovens, pois eram os únicos cultos a que Ella tinha permissão para ir. Às vezes até se falavam pelo WhatsApp. Mas Ella mantinha uma distância segura. Não queria chatear Ananda dando uma falsa ideia sobre os dois.

Ella sentia-se tão frágil agora... Não conseguia se lembrar da última vez que alguém a tinha abraçado daquela forma, como se realmente se importasse com ela.

— Está tudo bem agora, você está segura aqui.

Quando Ella enfim se afastou do abraço de Henrique, percebeu que Simone não estava mais lá.

— O que você faz aqui? — foi a primeira pergunta dela, para logo sorrir envergonhada.

— Eu moro aqui! — Ele deu uma risada e guiou-a para a cozinha. — Você deve estar com fome.

Henrique fez chá de camomila, pegou alguns pãezinhos e lhe serviu.

— Você não sabia mesmo que ela é minha mãe? — Henrique perguntou apontando para a sala.

— Eu não sabia... Nunca vou à igreja aos domingos, lembra? Talvez por isso nunca a encontrei — respondeu Ella, tomando um gole de chá e sentindo-se melhor.

— E de onde você conhece a *dona* Simone? — ele perguntou, sentando-se de frente para ela.

Simone apareceu na cozinha e respondeu primeiro.

— Lembra do anjo de vendedora que eu conheci assim que nos mudamos?

Ella sentiu suas bochechas corarem.

Henrique sorriu concordando.

Após o lanche, Simone levou Ella até o quarto de hóspedes.

— Se precisar de algo, é só chamar. — Simone ia saindo do quarto quando viu que Ella não se movia. — Está tudo bem?

— Desculpe, eu... eu não queria causar tanto incômodo. Eu... — As palavras de Ella cessaram ao sentir as mãos de Simone envolvendo as suas.

— Minha filha — ela disse. As palavras carinhosas de Simone a atingiram. — Você é bem-vinda aqui. Não sei o que aconteceu, mas quero te dizer uma coisa: Deus te enxerga e te ama... O que quer que tenha machucado você, ele é capaz de sarar.

O abraço que recebeu de Simone foi como um manto ao redor de seus ombros numa noite fria. Ela era amada.

Grata por ter levado uma mochila com roupas, pôde tomar banho e se trocar. Depois eles se reuniram na sala e os três conversaram por horas. Ella tirou das costas o peso que carregava por tanto tempo e abriu o coração para eles, que ficaram abismados com tudo o que ouviram.

Quando Ella descobriu que Simone era promotora de justiça e seu esposo um advogado, e que eles queriam entrar com uma ação contra Laura, um medo assustador tomou conta dela.

Ligou no dia seguinte para sua amiga Jaque, que saiu em disparada para a casa de Henrique.

— Ella! — Jaque correu até Ella, que estava no sofá, e a abraçou. — Como você está? E esses machucados? Meu Deus, não pode ser o que estou pensando! A Ananda me paga! — Jaque estava alterada. Levantou-se e já ia saindo pela porta novamente quando Henrique a segurou pelos ombros.

— Jaque, calma. Vamos ficar ao lado de Ella, ok?

Jaque respirou fundo e sentou-se novamente ao lado da amiga, segurando sua mão.

— Eu sabia que elas exigiam muito de você, mas não achei que chegasse a esse ponto, Ella. Por que você nunca me contou nada?

— Eu... — Ella abaixou a cabeça e olhou para suas mãos envoltas pelas de Jaque. — Eu não sabia que estava sofrendo abuso. As coisas sempre funcionaram daquele jeito.

— Ah, Ella! — Jaque passou o braço sobre os ombros da amiga. — Você é muito boa, garota! Eu te amo, sabia? Nunca mais você vai passar por isso, eu vou te proteger.

Ella olhou para Jaque e sorriu pela primeira vez aquele dia.

Algum tempo depois, Simone e seu esposo, Reinaldo, chegaram.

— Dormiu bem, Ella? — Simone perguntou docemente.

— Sim, obrigada.

— Sei que você deve estar assustada, mas precisamos fazer o exame de corpo de delito com você. Além de abuso psicológico, você foi vítima de abuso físico, e isso é muito sério — Reinaldo disse. Ele havia chegado de viagem naquela madrugada e sua esposa lhe havia contado toda a história de Ella. Ele ficou transtornado, mas decidiu que iria defender aquela pobre garota a todo custo.

— Vamos com você, não se preocupe — Jaque disse, e Henrique confirmou, após terem visto a expressão assustada no rosto da garota.

Reinaldo lhe explicou como seria todo o procedimento. Simone já havia ativado o Conselho Tutelar e o Ministério Público, e Reinaldo iria entrar em sua defesa.

Os dias seguintes foram difíceis.

Como Ella ainda era menor de idade, precisou de novos representantes legais, e graças aos pais de Jaque, pastores da igreja que frequentava, ela não foi parar num abrigo. Ella mudou-se para a casa da amiga e dividiu o quarto com ela.

Jaque diversas vezes a abraçou até a amiga pegar no sono. Ella acordava à noite com pesadelos e pegava sua Bíblia para ler. (Jaque havia, finalmente, encontrado a Bíblia perdida.)

Na casa de Simone, na manhã após os acontecimentos fatídicos, Jaque comentou com Henrique como seria bom para Ella ter naquele momento a Bíblia que seu pai lhe dera. Henrique mal podia acreditar que a dona era Ella. A carta e as marcações bíblicas faziam muito sentido agora!

— Mas, Henrique, eu postei em todos os grupos de WhatsApp da igreja! — Jaque ralhou com ele por não ter devolvido antes.

— Eu havia acabado de me mudar, não estava em nenhum grupo. Me desculpe! — Henrique se defendeu. Jaque deixou pra lá e sorriu animada por ter a Bíblia em mãos.

Henrique pediu que Jaque não revelasse ainda onde estava. O bom foi que Ella nem ao menos perguntou, apenas chorou abraçada à Bíblia, o que deu um aperto no coração de Jaque, que chorou junto e orou pela amiga.

A parte mais difícil de todo o processo foi o julgamento, quando Ella teve que depor. Foi duro ver Laura no banco dos réus, com uma expressão séria e fria.

— Laura Tavares, você está sendo acusada por adulteração de testamento e agressão física e psicológica. Sua pena é de um ano e seis meses de detenção.

Laura recebeu o direito de responder através de uma pena restritiva de serviços à comunidade e pagar multa ao invés da prisão. No entanto, a soma de tudo o que foi pego da herança de Ella, com juros e correções, equivalia a seu patrimônio atual, o qual foi todo ressarcido à vítima, deixando Laura em más condições financeiras.

Ella pediu a Reinaldo que pagasse a fiança de sua madrasta em secreto, mesmo ele tendo tentado convencê-la do contrário. Ella não queria que Adriano e Ananda crescessem sem mãe, como foi com ela, e, por serem menores de idade, fossem parar num abrigo qualquer.

Ao ter sua pena decretada, Laura gritou com Ella, a chamou de ingrata, de mesquinha e todos os piores nomes.

— Ordem no tribunal! — o juiz bateu o martelo.

Ella levantou-se e, antes de ir embora, olhou no fundo dos olhos de Laura.

— Não desejo nenhum mal para vocês. Eu a perdoo, Laura.

Passando em frente à casa onde morou a vida inteira, Ella viu Ananda, com o olhar perdido, puxando uma mala, e Adriano, que lhe lançou um tchau de longe, como se estivesse se despedindo. Seu coração ficou apertado. Não era para ser daquele jeito, mas ela pediu a Deus que os abençoassem.

Mesmo com tudo o que sofreu, Ella jamais poderia desejar o mal àquelas pessoas. Tinha consciência de que a mágoa, quando alimentada, destruiria uma vida, a paz seria difícil, recomeçar quase impossível. Jesus tomou a decisão mais dura, perdoar aqueles que lhe fizeram mal. Ella desejava percorrer esse caminho para ser livre, mesmo sabendo que seria árduo. Precisaria tomar a decisão de perdoar, uma decisão que, por ela mesma, era impossível. Mas sabia que não estava sozinha. Nunca esteve.

Um ano havia se passado desde o processo.

Mesmo sendo uma garota muito forte e cheia de fé, Ella sofreu psicologicamente por tudo o que havia acontecido desde os seus doze anos.

Foi encaminhada para uma psicóloga, o que foi de grande ajuda para entender mais a si mesma e a situação toda que viveu. Ella se deu conta de que nos últimos anos tinha ouvido muitas mentiras que acreditou serem verdades, como ser feia, não ser amada, achar-se obrigada a limpar, cozinhar e trabalhar na loja sem receber salário como suposta forma de gratidão por ter um teto para morar, e tantas outras coisas que a feriram.

Ella sentiu-se plena ao finalmente perceber como o amor real funciona, não pelo o que se faz, mas por quem se é. Sentiu que era assim que Deus a via, e isso a encheu de contentamento.

Mas o maior presente que Deus lhe deu foi uma família de verdade, que a amava e a tratava como uma princesa. Na família de Jaque, ela aprendeu novas coisas, como acordar e ter café quentinho com pão, brigar para ver quem lavaria a louça, ir à igreja sem medo de precisar voltar correndo para não receber uma bronca, ganhar um abraço de boa noite e um bom dia cheio de sorrisos e poder focar-se nos estudos sem precisar se esconder. Deus a presenteou e a fez se sentir valorizada e amada.

E o que dizer de Simone e sua família? Eles a haviam resgatado, defendido como se ela fosse sangue de seu sangue, lutado até o fim para conseguir o que era dela por direito. As investigações revelaram que Laura havia fraudado o testamento de Fernando, que deixara cinquenta por cento de suas posses financeiras para a filha. Laura, que já tinha a outra metade por direito conjugal, ainda havia usado a parte de Ella para abrir a loja de grife e manter um padrão de vida elevado.

Laura teve que sair da casa, que estava no nome de Ella, e a loja foi leiloada para ressarcir a vítima dos danos sofridos. Ella decidiu que venderia a casa quando tivesse idade suficiente para tomar conta dos bens. Sua intenção era que alguma família construísse uma vida feliz naquele lugar.

Quando Ella ficou maior de idade, comprou um apartamento perto da universidade onde estudava medicina veterinária e Jaque foi morar com ela, cursando matemática.

— Acorda, princesa!

Ella pôs o travesseiro sobre a cabeça ao ouvir Jaque entrando em seu quarto e abrindo as cortinas.

— Hoje é um grande dia! Vamos, levanta!

— Jaque, são sete horas, eu só tenho aula às nove...

— Mas temos que escolher sua roupa, oras!

Ella se arrependeu de ter contado que Henrique a convidara para jantar.

— Jaque, você está exagerando. — Ella sentou-se na cama e se espreguiçou. Ela e Henrique haviam ficado muito próximos nos últimos dois anos, mas ela nunca alimentou falsas esperanças de algo mais que uma amizade com ele. No entanto, Ella não podia negar que o rapaz era muito especial em sua vida.

— Ah, não estou, não! Vocês estão nessa de amor secreto há um tempão, Ella! Pelo amor!

— Até parece... — Ella disse, levantando-se.

— Olha, o que o Henrique tem de lindo, tem de lerdo! Sinceramente... — Jaque saiu resmungando do quarto.

O dia foi um dos mais demorados na vida de Ella. As aulas pareciam se arrastar. Quando entrou no apartamento, no fim da tarde, Jaque estava preparando um sanduíche.

— Eu quero! — Ella pediu, jogando-se no sofá.

— Que desânimo é esse, garota? Vai tomar um banho que a carruagem com o seu príncipe vai chegar às sete, lembra?

— Só estou cansada — Ella disse, levantando-se e indo para o banheiro.

— Você está linda! — Jaque exclamou ao ver Ella arrumada. Ela estava com um vestido azul claro soltinho que batia nos joelhos, Jaque não a deixou em paz enquanto não foram a várias lojas até encontrar o vestido perfeito. Os cabelos estavam presos na parte de cima e o restante caía em ondas, e usava saltos plataforma combinando com o vestido.

— Obrigada — Ella agradeceu, sentindo-se bonita. — Ele chegou — disse lendo uma mensagem no celular. Despediu-se de Jaque e pegou o elevador.

— Oi — Ella o cumprimentou, tentando esconder a timidez ao vê-lo encostado em seu carro.

— Você está linda! — Henrique admirou a jovem à sua frente. Foi até ela e beijou o seu rosto como de costume. — Vamos?

Henrique tinha ouvido Ella comentar numa reunião de jovens que gostaria de conhecer aquele restaurante. A entrada parecia um castelo e por dentro era tudo bem rústico, com candelabros e mesas de madeira.

— Este lugar é incrível! — Ella disse ao sentar-se.

— Preciso concordar — Henrique respondeu, maravilhado com a admiração no rosto de Ella.

Os dois conversaram muito e até dançaram uma música lenta, mesmo Henrique tendo reclamado que não sabia dançar direito. Após uns dois pisões no pé de Ella, ele pegou o jeito.

Depois do jantar, Henrique a levou a uma pracinha próxima à universidade. Sentaram-se num banco. Esperava que o que fosse falar para Ella não estragasse o momento dos dois juntos.

— Ella, preciso te falar algo... espero que você entenda.

— Ok — Ella concordou, lutando para esconder a ansiedade, e Henrique segurou sua mão.

— Eu fui a pessoa que estava todos aqueles meses com a sua Bíblia.

Ella olhou-o com surpresa, mas esperou ele continuar.

— No início eu não sabia que era sua... Eu tinha a intenção de devolver logo, mas quando a abri e li os versículos marcados e suas anotações, foi como, como se... como se Deus quisesse me falar justamente aquilo, sabe? Eu mergulhei na Palavra como nunca.

Ella tentou falar, mas foi interrompida.

— Ella, tem mais. Eu li a sua carta pessoal, e espero que você possa me perdoar por isso. — Henrique olhou para Ella esperando sua reação, e o que recebeu foi o olhar mais amoroso que podia imaginar.

— Valeu a pena? — Ella perguntou numa voz suave. Os lábios de Henrique se abriram num sorriso.

— Muito. Me fez perceber que eu estava caminhando de forma errada. Eu me espelhei naquela carta para me erguer e lutar, e senti que assim como aquela garota encontrou forças em Deus para atravessar os momentos mais difíceis, eu também podia.

Os olhos de Ella brilhavam com as lágrimas lutando para não cair. Estava cheia de gratidão a Deus. Sua oração de que a pessoa que achasse sua Bíblia fosse abençoada havia sido atendida.

— Henrique, quando perdi a minha Bíblia eu fiquei tão arrasada, era a lembrança mais importante do meu pai...

— Eu sinto muito! — Henrique disse, apertando sua mão.

— Não sinta! Algum tempo depois senti algo no coração e orei pela pessoa que havia encontrado minha preciosa Bíblia.

— Oh, minha querida Ella! — Henrique exclamou emocionado, puxando-a para um abraço. Ella descansou sua cabeça no ombro daquele rapaz tão gentil. Henrique voltou a falar quase sussurrando: — Quando descobri que você era a dona, senti uma ligação muito mais forte com você.

Ella se afastou para olhar nos olhos dele.

— Ella — Henrique disse, levando a mão dela ao seu coração —, não foi fácil ficar perto de você só como amigo nestes últimos dois anos, mas eu sabia que você era muito especial e que não estava pronta por causa de tudo o que enfrentou. Mas ver você agora, forte como nunca, ver como lutou e saiu por cima mesmo com todo o mal que te fizeram, me deu paz para compartilhar com você o que eu sinto. — Henrique esperou Ella falar algo, mas ela ficou em silêncio por um tempo, encarando-o maravilhada.

— Posso ser sincera e dizer que no início eu queria que você ficasse com a Ananda para ela me dar um descanso?

Henrique gargalhou.

— Sério? — perguntou ainda sorrindo. Ella afirmou com a cabeça.

— Sim. Mas, quando fui te conhecendo melhor, percebi que você era diferente... Seu caráter, gentileza, respeito e dedicação a Deus me chamaram a atenção. E isso se intensificou no meio daquela confusão toda. Você esteve comigo todo o tempo, e eu jamais vou esquecer.

— E o que você sente hoje? — Henrique perguntou em expectativa.

— Eu sinto que poderia passar minha vida ao seu lado...

Henrique não esperou Ella terminar e beijou-lhe os lábios.

— Ella... — Henrique afastou-se, ainda com as mãos ao redor do rosto dela. Olhando em seus olhos, disse: — Esperei tanto por este momento, minha princesa.

— Meu príncipe. — Ella sorriu, e em seguida o abraçou forte, sendo envolvida pelos braços protetores de Henrique.

A Fera Sou Eu

Thaís Oliveira

Bela

Naquela manhã, quando o alarme do celular tocou às seis horas, eu estava sonhando com minha mãe. Sentada em sua escrivaninha, enquanto uma xícara de café fumegava próximo à sua agenda. Ela ainda parecia a mesma...

Lá estava ela com seus cabelos castanhos cacheados caindo sobre os ombros, um fiozinho branco surgindo aqui e ali em suas têmporas. Usando seu vestido floral favorito e com os óculos bem na pontinha do nariz, escrevia em sua agenda uma lista de tarefas — um dos seus *hobbies* prediletos. Coisa que nunca consegui entender muito bem: como alguém podia amar listas, se elas só serviam para lembrá-la das coisas que tinha que fazer?

Assim que entrei no escritório, mamãe foi logo me passando os itens em sua lista que, ela dizia com prazer, eram minhas "responsabilidades". E quando eu estava pronta para reclamar de ter que lavar a louça de novo naquela tarde, já que era a vez do Lucas, meu irmão, o alarme me roubou do mundo dos sonhos, me trazendo para um mundo sem graça e para um dia que eu não estava nem um pouco a fim de começar.

Ainda sonolenta, deixei as cobertas e o quarto, correndo em direção ao escritório de mamãe. Assim que cheguei diante da porta fechada, minha pressa teve fim. Senti as mãos geladas e um aperto no coração, como se alguém o tivesse pegado nas mãos.

Conhecia muito bem aquela sensação. Era como uma companheira silenciosa, surgindo de repente, sem nenhum aviso prévio. Toda vez que me aproximava do escritório parecia que as mãos apertavam o meu coração com mais força, porque eu sabia exatamente tudo o que estava lá dentro, e também o que não estava. Havia cinco anos mamãe não entrava naquele escritório. Havia cinco anos, após preencher sua lista do dia e preparar meus irmãos e eu para a escola, mamãe saiu para o trabalho e não voltou mais.

O garoto tinha só 17 anos e, após beber a noite inteira, resolveu voltar para casa dirigindo. Ao ultrapassar um sinal vermelho, bateu em cheio no carro da minha mãe. As lembranças dos dias que se seguiram àquele acidente doeram mais uma vez, e em vez de criar coragem e abrir a porta do escritório, voltei para o meu quarto. Era melhor ficar com as imagens do sonho do que ver o escritório escuro e vazio.

Com mais um dia começando, precisava me arrumar para a escola — o que era tão desafiador quanto olhar para a porta do escritório, na verdade. Se nos últimos anos já me sentia desanimada em ir para a escola, naquele dia o desânimo era ainda maior. Quem troca de colégio faltando apenas seis meses para concluir o ensino médio?

"Isso não teria acontecido se você não tivesse ido tão mal na escola", minha consciência me lembrou.

— Eu não teria ido mal se minha mãe não tivesse morrido... — disse a mim mesma enquanto arrumava o cabelo. Aliás, não havia muito o que fazer, pois tinha cortado meus cachos na altura dos

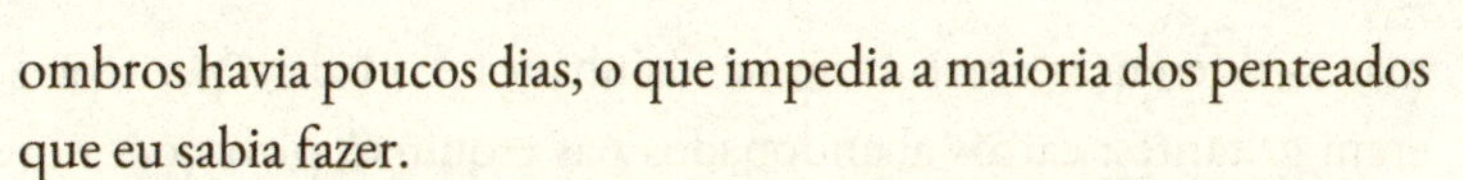

ombros havia poucos dias, o que impedia a maioria dos penteados que eu sabia fazer.

Havia pouco mais de dois anos, a escola tinha me presenteado com uma bolsa de estudos, porque o meu pai não podia mais pagar as mensalidades. Assim como eu, ele não conseguia se concentrar nas coisas desde a morte de minha mãe. Enquanto minhas notas despencavam na escola, a mercearia dos meus pais falia aos poucos. E depois de dois anos ouvindo a cada trimestre que eu precisava melhorar, que devia me dedicar mais e interagir com os colegas, a escola comunicou ao meu pai que minha bolsa estava sendo cancelada. Ao que parece, eu não rendia os frutos ou ao menos a gratidão que a escola queria.

Troquei o pijama por uma calça *jeans* surrada e a blusa branca com o símbolo da nova escola. Desci até a cozinha para calçar meu velho par de *All Star* azul e pegar minha mochila que havia deixado lá na noite anterior.

A cozinha não estava muito diferente das outras manhãs: vazia. Papai já devia ter saído para a mercearia havia muito tempo, mesmo que só pudesse abri-la depois das sete. A verdade era que ele não dormia direito havia anos, e antes das quatro da manhã já estava perambulando pela casa.

Lucas, meu irmão do meio, já não morava com a gente. Depois de conseguir uma bolsa em uma faculdade particular em outro estado, não pensou duas vezes em ir embora. Guilherme, meu irmão mais velho, também não estava mais por aqui. Havia uns dois anos ele tinha se casado e mudado para a cidade natal da esposa. Só havia papai, Lucy — minha gata — e eu. E, bem, aquela casa grande e vazia.

Com um bom livro na mochila para me fazer companhia durante a manhã, peguei minha velha bicicleta amarela na garagem e desci a rua. A nova escola ficava em um bairro não muito distante, mas as diferenças entre a minha vizinhança e o bairro periférico eram gritantes: carros abandonados nas esquinas, pichações nos muros e linhas de pipas enroladas nos fios.

Mais mudanças apareceram assim que entrei na escola. A primeira coisa que o porteiro me perguntou foi se eu tinha trazido uma corrente e um cadeado, porque do contrário dificilmente encontraria minha bicicleta no fim da aula. Bem, papai me falara sobre isso e eu trouxera. A estrutura da escola também era muito diferente da antiga. As paredes estavam riscadas, havia grades na maioria dos portões e câmeras de segurança nos corredores, o que lhe dava a aparência de uma prisão.

Mas havia uma coisa igual: olhares curiosos. Algumas garotas me olhavam de esguelha, fazendo suposições, enquanto uns garotos se acotovelavam. Aqui e ali uma pessoa sorria, simpática. A recepção foi bem parecida quando a secretária me levou até a sala alguns minutos mais tarde. Ainda bem que eu não estava mesmo muito a fim de fazer amizade.

À medida que as aulas passavam, algumas pessoas acenaram para mim, outras me disseram seu nome, mas apenas um garoto se aproximou de verdade, assim que o sinal para o recreio soou.

— Oi, eu sou o Adam. — Ele se sentou em uma carteira em frente à minha mesa.

Adam era alto e moreno. Seus olhos verdes combinavam com o tom castanho de seus cabelos, que recaíam em uma franja bem lisa em sua testa. Seu sorriso, marcado por duas covinhas, era gentil e simpático.

— Ah, oi. Eu sou a Isabela — falei, enquanto guardava meu material na mochila.

— Sei como é chato trocar de escola bem no meio do ano, então se você precisar de alguma coisa é só falar, tá?

Sua gentileza me pegou de surpresa. O que ele estava querendo?

— Obrigada. — Ele bem que podia me ajudar em uma coisa... — Você pode me dizer onde é a biblioteca?

— Melhor. Posso te mostrar onde é!

Deixamos a sala e, após percorrer um corredor grande e dobrar a direita, chegamos à porta da biblioteca.

— É aqui — Adam soou animado.

— Valeu!

— Podemos lanchar primeiro, que tal? Depois você volta — ele sugeriu, sorridente.

— Ah, eu não tô com fome. Prefiro ficar na biblioteca mesmo.

— Sério? — ele pareceu surpreso. — Mas você já até tem um livro aí. — Adam apontou para o exemplar de *Razão e sensibilidade*, de Jane Austen, que eu carregava debaixo do braço.

— Verdade, só que preciso de um lugar silencioso para ler.

— Tá bom. Se precisar de alguma coisa, já sabe! — Sorriu mais uma vez e foi embora.

A bibliotecária pareceu tão surpresa quanto Adam com a minha vontade de ficar lá durante o recreio, mas depois de me explicar detalhadamente as regras da biblioteca e afirmar que providenciaria minha carteirinha, ela me deixou sentar em um dos pufes que ficavam nos fundos do lugar.

Sentar entre aquelas estantes, cercada por livros, fez com que me sentisse segura e em paz pela primeira vez naquele dia. Havia cinco anos que esse era um hábito diário. No começo meus amigos questionaram, tentaram me arrastar e me levar de volta para a bagunça do recreio, mas no dia seguinte eu fazia a mesma coisa, até que eles se cansaram de tentar.

Para eles, os livros não passavam de um amontoado de páginas chatas que eram obrigados a folhear nas aulas de literatura. Para mim, no entanto, sempre foram companheiros, sempre estiveram presentes. Na infância, minha mãe se sentava com um deles junto à minha cama à noite e lia até que eu caísse no sono. Eles também estiveram lá quando comecei a trocar as bonecas por jogos de tabuleiro e maquiagens. E lá continuaram quando minha mãe se foi — repletos de aventuras, descobertas e sensações maravilhosas. Eles me permitiam esquecer o meu mundo cinza.

Depois da aula, passei em casa para trocar a blusa do uniforme por uma mais leve, e chequei se ainda havia ração para a Lucy. Enquanto me abaixava para pegar o potinho de água e recolher a ração que ela havia espalhado pelo chão, minha gata se enroscou em minha perna — um pedido claro e constante de "Humana, me dê carinho".

Apesar de preferir ficar em casa fazendo carinho em Lucy, peguei a mochila e fui até a garagem buscar a bicicleta. Havia alguns arranhões aqui e ali, marcas de todas as corridas que eu apostara com Lucas e com a Cecília, minha melhor amiga, na nossa rua. O guidão estava um pouco envergado, por causa daquela vez em que desci o morro da rua de trás um pouco rápido demais e acabei capotando com a bicicleta. O que me custou um joelho ralado e uma longa bronca da mamãe.

Desci a rua em direção à mercearia e, após alguns minutos de pedaladas, guardei a bicicleta em um cantinho do depósito. Da cozinha nos fundos da mercearia vinha um cheirinho gostoso de comida caseira, que fez meu estômago roncar alto.

— Que cheirinho bom, Sara! — falei ao entrar na cozinha.

Sara trabalhava com papai. Ela havia sido contratada para ser caixa, mas fazia muito mais do que isso. Depois de alguns meses trabalhando na mercearia, ela viu que papai e eu não nos alimentávamos muito bem e passou a nos preparar almoço todos os dias. E raras eram as vezes em que não sobrava o suficiente para o jantar.

— Que bom que a minha abóbora está cheirando, porque fiz especialmente para você — ela sorriu, enquanto retirava a tampa da panela. À medida que a fumaça subia, o cheirinho do legume que eu NUNCA consegui compreender a graça na vida, invadia a cozinha.

— Você sabe que não gosto de abóbora, Sara... — resmunguei.

— Mas você sabe que tem que comer — ela deu de ombros, virando-se para o fogão mais uma vez.

Com Sara não adiantava muito ficar expondo meus argumentos sobre não gostar de abóboras. Ela sempre me obrigava a comer. Se Sara tivesse filhos, com certeza eles seriam muito saudáveis, porque ela adorava cozinhar legumes e preparar saladas.

— Como foi o primeiro dia na escola nova? Fez amigos? — Sara sentou na cadeira à minha frente.

— Ah, foi legal. E já tenho bastante dever de casa.

— Que bom! Pode ser um pouco difícil entrar em uma turma nova no meio do ano, mas se você se dedicar vai dar tudo certo — ela afagou minha mão. — E os novos amigos?

— Ninguém faz amigos tão rápido, Sara.

— Espero que você faça alguns poucos e bons. Aliás, hoje é um bom dia para ter dever de casa. As coisas estão calmas por aqui e seu pai vai passar a tarde resolvendo algumas burocracias com o contador. Pode ficar fazendo seus exercícios. Eu dou conta de tudo — ela piscou ao levantar da mesa.

— Obrigada, Sara!

— De nada, querida.

Depois que arrumei meu almoço, mal tinha sentado à mesa quando Sara apareceu com uma colher de madeira cheia de

abóbora, e antes que eu pudesse recusar metade do meu prato estava coberto por aqueles cubos laranjas adocicados.

— Sara, eu já tinha...

— E por acaso dois cubinhos de abóbora iam fazer diferença na sua vida?

— Seria melhor nenhum... — respondi, enquanto tentava salvar alguns grãos de arroz de toda aquela abóbora.

Depois de almoçar, arrastei a mochila até a frente da mercearia, porque gostava de fazer os exercícios sentada em um dos caixas.

— Boa tarde, pai. — Ele estava sentado em um caixa, com o olho grudado no jornal que passava na antiga tevê de 22 polegadas (tevê que um dia tinha sido um sucesso lá em casa!).

— Boa tarde, Bela — respondeu, com os olhos ainda grudados na televisão.

Passava mais uma daquelas reportagens sobre acidentes no trânsito, a maior obsessão do meu pai. Sua meta diária era chegar em casa rápido o suficiente para sentar em sua poltrona em frente à tevê e assistir a todos aqueles programas sensacionalistas, com os jornalistas gritando e insultando os "vilões" da sociedade. Ele gostava sobretudo quando os gritos tinham como alvo motoristas imprudentes.

— A Sara está te esperando para almoçar. — Sentei no caixa próximo à parede, o lugar mais sossegado para fazer as lições de casa.

— Eu já vou. Deixa só terminar essa matéria. Acredita que aconteceu mais um acidente esta madrugada naquele trevo na entrada da cidade?

— Nossa, que chato.

Todos os dias ele tinha pelo menos duas notícias dessas para contar. Às vezes, eu ficava até sem ter o que dizer, como hoje.

— Duas pessoas morreram, acredita? Duas! Quantas pessoas terão que morrer para eles aumentarem a sinalização naquela região? É um absurdo! Tanto imposto pago para nada... — lamentou. — Ah, como foi o dia na escola nova?

— Foi bem, pai.

— Fico feliz. — Um sorriso sincero deu lugar a sua velha indignação. No entanto, assim que ele sentasse para almoçar, a indignação voltaria, com certeza. Provavelmente falaria sobre as reportagens o tempo todo em que estivesse comendo. Coitada da Sara!

Enquanto começava meus exercícios de matemática, atendi um cliente e outro que passava pela mercearia na hora do almoço. Não demorou para que papai e Sara voltassem da cozinha.

— Bela, vou passar a tarde resolvendo algumas coisas, está bem?

— Ok.

— Você ajuda a Sara e o Jonathan a fechar?

Jonathan era outro anjo que meu pai havia encontrado, além de Sara. Não dava para classificá-lo por uma única função, porque ajudava em tudo que fosse preciso, fazendo quase sempre muito mais do que havia sido contratado para fazer, e tudo com muito amor.

Se o Jonathan e a Sara não estivessem aqui, essa mercearia não estaria de portas abertas. Isso é um fato!

— Claro, pai.

— Depois vai direto para casa, hein.

— Pode deixar.

Ora, para onde mais eu iria?

— Até mais tarde, filha! Tchau, Sara.

— Vai com Deus, senhor Antônio. — Sara ainda não tinha perdido essa mania de chamar papai de senhor, e olha que ele não era tão velho assim.

— Tchau, pai.

Antes que eu pudesse começar qualquer assunto, Sara me avisou:

— Pode voltar a se concentrar nesse dever, mocinha.

E adeus conversa fiada.

Jonathan havia pedido para eu conferir se a porta estava mesmo fechada, quando Cecília parou em frente à mercearia com sua bicicleta rosa.

— Posso te acompanhar até em casa, senhorita? — ela perguntou ao mesmo tempo que descia da bicicleta.

— Claro, Ci! Já estou terminando aqui.

Eu já estava subindo na bicicleta quando Sara veio correndo dos fundos da mercearia.

— Você precisa dar um jeitinho de levar o jantar, Bela. — Ela me entregou uma bolsinha térmica com as marmitas. Tinha até me esquecido desse detalhe tão importante, porque era meu pai quem sempre levava de carro.

O guidão torto da minha bicicleta parecia um bom lugar para amarrar a bolsa térmica.

— Não corra demais para não cair e estragar o jantar. E vá direto para casa! — Sara recomendou.

— Vocês ficam falando isso toda hora, como se eu tivesse outro lugar para ir...

— Sempre há um lugar para ir, Isabela. Sempre há. Mas você tem que ir para casa.

— É para lá que eu sempre vou.

— Eu sei. Falamos tanto para continuar assim. — Ela me deu dois tapinhas consoladores no ombro.

Equilibrando a bicicleta, a mochila e a bolsinha das marmitas, me estiquei para dar um beijo na bochecha de Sara, o que a pegou de surpresa e fez com que seu rosto corasse.

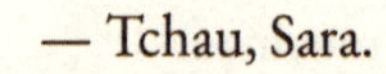

— Tchau, Sara.

— Tchau, querida. Até amanhã.

Cecília morava algumas ruas depois da minha, por isso, sempre que podia, passava pela mercearia no fim do expediente para me acompanhar até em casa. E agora que não estudávamos mais juntas, aquele seria o momento ideal para colocarmos o papo em dia.

— E a escola nova? Me conta tudo!

Pedalávamos devagar, aproveitando os últimos raios de sol que pintavam o céu com tons de rosa, laranja e um azul bem claro. Uma das minhas cenas preferidas da vida!

— É bem diferente da nossa. O prédio tem pouco espaço e é tudo muito fechado, mas a biblioteca é grande, parece ter um acervo bem legal.

— Biblioteca no primeiro dia, Isabela? Fala sério!

— Ué, eu tinha que conhecer a escola...

— Aham, sei... Tem gente legal na sua sala?

— Um garoto foi bem simpático. — Assim que acabei de dizer, me arrependi.

— Um garoto? — Ci arregalou os olhos.

— Não é nada disso que você está pensando. Ele foi apenas gentil, só isso. — Pedalei mais rápido, deixando Cecília para trás, assim como aquele papo sobre o tal Adam.

— Para a sua sorte conversamos mais sobre esse garoto gentil outro dia, porque tenho que ir direto para casa. Preciso fazer uma *live* às sete da noite. Minhas seguidoras estão me aguardando. — Cecília era blogueira, ou como ela dizia, uma *digital influencer*, e passava grande parte do tempo compartilhando sobre o seu universo com suas seguidoras. Era um milagre ela ainda ter tempo para mim.

— Está bem! Boa *live*! — respirei fundo, aliviada.

— Obrigada! Espero que você esteja lá.

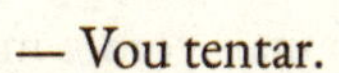

— Vou tentar.

— Beijo.

Após ela virar à esquerda, continuei pedalando e logo cheguei em casa. Depois de guardar a bicicleta na garagem, entrei pela porta da cozinha. Lá estava Lucy, parada à minha frente, na porta que levava para a copa e a sala.

“Oi, humana”, seus olhos me diziam.

— Oi, Lucy! — Mas, não dando a mínima para mim, Lucy foi embora sem que eu pudesse fazer um carinho nela. Ela não estava de bom humor.

A casa estava diferente. Comparada com as outras tardes, estava muito silenciosa. Quando entrei na sala vi o porquê, embora ainda não entendesse direito. Papai estava sentado em sua poltrona, diante da tevê, mas o aparelho estava desligado. Será que o sinal da tevê havia caído? Ou ele finalmente havia se cansado de todas aquelas matérias dolorosas de seu jornal sensacionalista favorito?

— Oi, pai — eu disse, e me aproximei dele.

Em seu colo havia uma pasta transparente vazia. Alguns papéis haviam caído no chão ao redor da poltrona, enquanto outros estavam esparramados entre o seu colo e os braços da poltrona. Papai coçava a testa e os cabelos, que já estavam bem brancos nas têmporas.

— Oi, pai — repeti ao sentar no sofá próximo à poltrona. — Está tudo bem?

— Oi, Isabela... — ele enfim respondeu, ainda olhando para a pasta.

— Como foi lá no contador?

— Achei que as coisas estavam indo bem, finalmente... — Abaixou para pegar alguns dos papéis que haviam caído.

— E não estão?

— O contador disse que estamos gastando mais com a mercearia do que tendo lucros. — Fez uma pausa, respirando fundo. — Não podemos continuar assim.

— E o que ele sugeriu? — perguntei, preocupada.

— Que eu demita um dos funcionários — ele olhou para mim com pesar.

— Mas... você não pode demitir a Sara ou o Jonathan, pai!

— Eu também não quero, querida! Mas, se não fizer isso, daqui a pouco não teremos mais a mercearia.

— Então... quem você vai demitir?

— Não tenho a mínima ideia. — Sabia que, assim como eu, papai sofria com a ideia de perder qualquer um dos dois. A Sara e o Jonathan eram praticamente da família...

Ainda estava pensando no problema da mercearia e imaginando qual seria a decisão do meu pai, quando uma fala da professora de geografia chamou a minha atenção.

— Turma, nosso próximo trabalho será em dupla. — Meu coração gelou. Quer um pesadelo maior para uma aluna novata? — Escolham seus parceiros, e não me venham com essa de dupla de um ou de três, hein! São apenas dois integrantes!

E lá se foi a minha chance de pedir para fazer o trabalho sozinha. Essa professora não tinha cara nem voz de boazinha, e como eu não tinha um passado com ela, dificilmente poderia persuadi-la. Cecília conseguiria isso em dois tempos!

Enquanto pensava no que fazer, se alguém teria pena de mim e me escolheria ou se a professora seria ela própria obrigada a fazer isso, a turma já estava arrastando as carteiras em direção às suas duplas. Na frente da sala, algumas pessoas rodeavam o tal Adam querendo fazer dupla com ele, mas ele não parecia se importar muito com os colegas e suas bajulações. Para a surpresa de todos eles, e minha também, Adam simplesmente disse:

— Não posso, gente. Eu já tenho dupla! — e apontou para mim, piscando.

Eu assenti, porque era muito melhor fazer um trabalho com ele do que com alguém com que eu não tinha sequer trocado um

"oi". Confesso que fiquei aliviada, ao mesmo tempo que alguma desconfiança crescia em meu peito. O que aquele garoto queria? Por que estava sendo gentil? Eu estava longe de ser o tipo de garota misteriosa e charmosa que conquista a atenção dos meninos.

Desde que mamãe tinha sofrido aquele acidente de carro, comecei a perceber que a vida parecia muito com peças de dominó, colocadas em pé, um pouco afastadas entre si. Enquanto ninguém as tocava, tudo ia bem, mas qualquer toque poderia derrubar uma peça, e logo todas cairiam. Na minha cabeça, cada pessoa era uma dessas peças e, quando tocaram na mamãe, todas as outras peças da minha vida começaram a tombar. Às vezes, a queda vinha depressa, outras vezes, mais lentamente. Até hoje eu via as peças caírem.

A verdade era que eu estava brava. Muito brava. Se a mamãe não tivesse morrido, tudo estaria bem. O Lucas não teria ido estudar tão longe, porque teríamos dinheiro para pagar uma faculdade para ele aqui. Aposto que Guilherme também estaria mais perto — ele adorava estar com a mamãe. Papai não estaria tão preocupado com os acidentes de trânsito e cuidaria melhor da mercearia. E eu... teria a minha mãe comigo.

No velório e nos dias que se seguiram à morte de mamãe, todo mundo dizia: "Há um propósito para todas as coisas", "Deus sabe o que faz", "Vocês não entendem agora, mas um dia entenderão" e "Deus não dá um fardo maior do que podemos carregar".

Sinceramente, não conseguia ver um propósito na morte de minha mãe. Por que Deus planejaria a morte de alguém que ele amava e que nós também amávamos, só para nos ensinar alguma coisa? E como nossa vida poderia melhorar, se nenhum de nós conseguia viver sem ela? A melhor chance que a nossa família tinha de permanecer unida e temente a Deus, era se a mamãe estivesse aqui. Ela era a coluna da nossa casa. Era o coração, a paciência, o sorriso e o consolo. Era ela quem nos fazia ir à igreja todo domingo e não nos deixava comer enquanto não fizéssemos uma oração. Era ela quem sentava comigo e com meus irmãos para nos ensinar as histórias bíblicas.

Ela amava tanto o Senhor! Como ele pôde tirá-la de nós?

E agora, mais peças do nosso jogo de dominó estavam sendo ameaçadas. Papai ainda não sabia qual peça empurrar, e só de imaginar aquelas peças caindo minha cabeça doía e um frio crescia em minha barriga.

Embora eu quisesse ir à mercearia aquela tarde, para ajudar Jonathan a arrumar alguma prateleira ou ajudar Sara a fazer o balanço de vendas da semana, precisava me encontrar com o Adam para fazer o nosso trabalho de Geografia.

Como havíamos combinado, nos encontramos em frente à escola às duas da tarde. Nosso destino era uma biblioteca pública que ficava nos arredores do colégio. Cheguei um pouquinho antes do horário combinado, e ainda bem que havia levado um livro na mochila, porque o Adam demorou a aparecer.

— Desculpa pela demora, Isabela! Tive que ajudar meu pai e acabei me atrasando. — Ele apareceu de surpresa, roubando minha atenção do livro que lia. Adam arfava e suava, parecia ter corrido uma maratona.

— Ah, não tem problema. — Balancei o livro e ele logo entendeu.

— Vamos indo, então?

Pedalei devagar enquanto Adam caminhava ao meu lado indicando o caminho até a biblioteca. Quando estávamos quase chegando, uma Kombi branca passou por nós, buzinando. Deu para ver que ela estava lotada de cestas básicas.

— Bom trabalho, filho! — o senhor que dirigia gritou. Era uma versão mais velha de Adam, com os mesmos olhos verdes e o sorriso gentil.

— Valeu, pai. — Adam corou de vergonha.

— Você se atrasou por que o ajudou a carregar a Kombi? — deixei minha curiosidade falar mais alto.

— Foi. — Ele coçou a nuca.

— Podíamos ter marcado para mais tarde, assim você teria mais tempo.

— Ah, não tem problema. Não deveríamos estar fazendo isso agora, porque a entrega das cestas estava prevista para amanhã, mas os planos mudaram e meu pai precisou levar hoje.

— Vocês trabalham com supermercado ou algo do tipo?

— Não, não. Meu pai é pastor e ele simplesmente ama ajudar outras pessoas! Então ele vive dando um jeitinho de mobilizar ações e projetos para ajudar quem precisa.

— Que bacana! É difícil encontrar pessoas que se importam com outras assim hoje em dia.

— É verdade, mas tem uma galera anônima espalhada por aí que faz muita coisa legal. — Ele parecia gostar muito de ajudar também, porque seus olhos brilhavam enquanto falava.

Nossa tarde na biblioteca foi bastante produtiva. Durante o tempo em que procurei nos livros algumas informações sobre globalização, Adam ficou no computador pesquisando alguns tópicos específicos que a professora havia solicitado. Ali deu para entender porque tanta gente queria fazer trabalho com ele: Adam era esforçado e inteligente. Quando nos despedimos em frente à escola no fim da tarde, já tínhamos as fontes necessárias para escrever o trabalho e uma ideia geral do que falar na apresentação oral.

Em vez de ir direto para casa, fiz o caminho contrário e passei na mercearia. Quando encostava minha bicicleta contra a parede dos fundos, vi Jonathan tirando alguns produtos enlatados de uma caixa do depósito. Menos mal, ele ainda estava empregado.

Jonathan estava quase completando 27 anos. Acabou abandonando a escola quando estava no meio do ensino médio e trocou de emprego pelo menos umas seis vezes antes de vir trabalhar aqui.

Mamãe incentivou muito que ele voltasse a estudar, e havia alguns anos ele acabou voltando. Terminou o ensino médio e começou um curso técnico em uma instituição federal. Acabei descobrindo a sensação que ele era em matemática, e desde então ele passou a me ajudar com alguns cálculos difíceis da escola.

— E aí, Bela! Estudou ou fez bagunça a tarde inteira?

— É claro que eu estudei, né! — falei ao abrir a porta que separava o depósito da mercearia para que ele passasse.

Jonathan ficou em uma das seções mais sem graças da mercearia, com temperos, enlatados e alguns produtos a granel, como arroz e feijão. Caminhei em direção à seção de gelados e peguei um Toddynho no refrigerador, antes de encontrar papai e Sara nos caixas.

— Apareceu a margarida — Sara brincou.

— Já estava com saudades de mim, né?

— Na verdade, só queria saber se você viria pegar seu potinho de abóbora.

— Abóbora de novo não! — fiz uma careta.

— Nunca entendi o problema dela com abóboras — papai disse, transtornado, o que fez Sara rir.

— Uma hora dessas ela acaba gostando, senhor Antônio. Aproveitando que você chegou, Bela, vou lá passar um cafezinho... — Sara saiu em direção à cozinha.

Depois de guardar a mochila na bancada do caixa de Sara, fui para o caixa de papai ajudá-lo a embalar as compras da senhora Glorinha.

— Você já está com uma mocinha enorme, seu Antônio — ela comentou sorridente.

— Estou mesmo, não é?

— Aqui está, dona Glorinha. — Entreguei a ela suas duas sacolas, acompanhadas de um sorriso.

— Obrigada, menina. Fiquem com Deus.

Quando ela se foi, aproveitei que estávamos sozinhos para me informar.

— Já decidiu, pai?

— Ainda não.

— E você tem que decidir até quando?

— O mais rápido possível.

Era triste olhar para a Sara e o Jonathan trabalhando com tanto afinco, sabendo que um deles não estaria mais ali por muito tempo. Eu queria poder fazer alguma coisa para que aquela medida extrema não precisasse ser tomada.

Estávamos no meio do outono e a noite estava mais fresca que de costume. A brisa gelada dos meses de inverno já parecia reivindicar seu lugar. Por isso, deixei a janela aberta e amarrei a cortina. Parei em frente à janela por um tempo. As nuvens tinham viajado para bem longe naquela noite, deixando que as estrelas brilhassem na imensidão negra. Havia tantas delas! A lua também estava um espetáculo: além de cheia, estava amarela como um queijo, surgindo no horizonte tarde da noite.

No quintal, o antigo jardim do qual mamãe tinha tanto prazer em cuidar brilhava com a luz do luar. Os antigos pés de rosas vermelhas sofriam com o ar gelado. Estava na hora de arrancar os galhos velhos e secos, e fazer novas plantações. Eu queria muito ver aquele jardim bonito de novo, mas nunca conseguia força suficiente para começar.

Tirei os olhos do jardim e mais uma vez me deixei levar pelo céu estrelado. Sabia que além daquele céu havia um Deus. Na verdade, era impossível, até para mim, olhar para todas aquelas estrelas e pensar que elas haviam sido apenas uma casualidade, o resultado de explosões e fórmulas químicas bilhões e bilhões de anos atrás... Eu sabia que havia um Criador por trás delas, um Criador que tinha controle sobre elas, impedindo que se chocassem contra nosso planeta e permitindo que o brilho daqueles astros chegasse até nós toda noite. Eu só não tinha certeza se aquele mesmo Criador estava cuidando de mim.

Às vezes, sentia que ele havia perdido o controle da história da minha família — como se Deus tivesse relegado os capítulos da nossa história a algum anjo engraçadinho que adorava um bom drama. Eu só... só queria ter certeza de que ele realmente estava ali e de que havia mesmo um propósito para cada coisa, como a morte de mamãe e a possível falência do meu pai. E se ele estava ali, também deveria cuidar da Sara e do Jonathan, e não os envolver em nossas dificuldades. Eles não mereciam aquilo...

— Deus, o Senhor está mesmo aqui? — perguntei, com a garganta apertada, mas ninguém respondeu. — Será que se esqueceu de nós? — Desta vez, minha voz se misturou com as lágrimas que não paravam de jorrar.

Na semana seguinte, Adam e eu nos encontramos de novo na biblioteca para revisar o trabalho e preparar a apresentação.

— Sei que a gente quase não se conhece e talvez você me ache um maluco, ou sei lá... — Ele bagunçou a franja, nervoso. — Lembra que eu te disse, semana passada, que tem um bando de anônimos por aí fazendo coisas legais?

— Sim, lembro.

— Você gostaria de ver essas pessoas em ação?

— Sério? — Sua proposta me pegou de surpresa.

— Sim! — falou animado. — No sábado faremos uma ação social em um dos bairros mais carentes da cidade. Seria legal se você fosse. Sabe, você podia ajudar também.

— Com o quê? Eu não sei fazer nada...

— Você sabe ler. As crianças adoram ouvir histórias!

— E isso pode ajudar alguém?

— Isabela, as crianças vão amar você! Mas não se sinta obrigada, e não fique com medo também. O pessoal todo da minha igreja vai estar lá, então não vai acontecer nada com você.

— Tá bom. Vou perguntar em casa e confirmo com você. — Desde que não envolvesse um adolescente maluco e um volante, meu pai provavelmente não ligaria.

— Beleza! Agora me ajuda a procurar um livro bem legal, porque ver você lendo na escola hoje me fez ter vontade de ler algo também.

— Opa, pode deixar comigo! — E o puxei pela mão rumo à seção de ficção infanto-juvenil.

Depois de explicar quem era o Adam e o que faríamos no sábado, meu pai quis conversar com o pai dele por telefone, para confirmar os dados. Não pensei que ele seria tão detalhista assim, afinal, eu não iria a uma festa nem tinha um encontro com um garoto, era só o evento de uma igreja! Contudo, ele acabou deixando — na verdade, até gostou do pai do Adam.

Até que eu entendia a preocupação dele. Havia muito tempo que eu não saía de casa. Minha vida social se resumia à escola, à casa da Ci e a algumas idas a livrarias.

Tentei chamar minha amiga *digital influencer* para ir comigo, e ela até achou a pauta bem interessante para transformar em *posts* depois, mas alguns compromissos virtuais a impediram de ir. Então, precisei vencer a procrastinação e a ansiedade/insegurança, que tentaram me prender na cama o dia todo naquele sábado, e calçar um par de *All Star* vermelho — com muita coragem!

No dia anterior, separei vários livros de histórias infantis que ficavam em uma caixa no escritório da mamãe. Estavam um pouco empoeirados e carregados de lembranças, assim como o escritório. Eu os conhecia tão bem que, por mais que estivesse nervosa de ter que ler e interagir com as crianças, não seria nem um pouco difícil lê-los em voz alta.

Desta vez o Adam não se atrasou, e a uma da tarde em ponto a Kombi branca buzinou em frente ao nosso portão. Meu pai, que tinha voltado da mercearia só para conhecer o Adam e o pai dele, foi abrir o portão enquanto eu ainda descia do quarto. Quando cheguei lá fora, ele e o pai do Adam já estavam virando amigos.

— Oi — Adam me cumprimentou, pegando a caixa com os livros. — Animada?

— Ei! Sim. — Eu também estava empolgada. Ainda bem que tinha vencido minha insegurança.

— Oi, Isabela. Sou o Daniel, pai do Adam. Prazer! — ele estendeu a mão em minha direção.

— Oi, o prazer é meu! — apertei a sua mão.

— Antes de vocês irem, deixa eu só pegar uma coisinha ali no carro. — Meu pai correu até a garagem, voltando com algumas sacolas repletas de pacotes de balas. — Para você distribuir para seus ouvintes! — ele me entregou as sacolas, todo animado.

— Obrigada, pai. Tenho certeza que as crianças vão amar.

— Vão mesmo! Vamos, então? — O senhor Daniel cumprimentou o meu pai e entrou no carro.

— Tchau, pai.

Depois de cruzar a cidade, chegamos ao bairro Nova Esperança, uma comunidade simples que sofria com os efeitos da desigualdade social. Suas ruas sem calçamento estavam repletas de casas pequenas e amontoadas. Crianças brincavam em torno do esgoto a céu aberto, que cruzava o bairro. Não era um cenário muito esperançoso, como o nome do lugar sugeria, mas ainda assim as

crianças corriam em meio a risadas e brincadeiras, encontrando esperança mesmo no pouco.

A igreja de Adam havia montado tendas em torno do centro comunitário do bairro. Vários serviços estavam sendo oferecidos, como cuidados de beleza e higiene, palestras, atendimentos médicos e atividades recreativas para as crianças, como as sessões de leitura.

Adam me levou até a tenda onde ocorreriam as atividades infantis e, após me apresentar a outros voluntários, mal tive tempo de entender para onde ele foi, porque várias crianças me cercaram querendo ouvir histórias. No início fiquei acanhada, não conseguindo entender como a leitura daquelas histórias poderia fazer algum bem àquelas crianças, mas foi só o momento da leitura começar que tudo fez mais sentido.

À medida que eu lia histórias de personagens bíblicos como Ester, José ou os milagres de Jesus — histórias que eu mesma não visitava havia anos —, as reações das crianças eram um misto de alegria e esperança. Seus rostinhos ora formavam "Os" imensos, ora suspiravam de alegria. Ao fim de cada leitura, eu fazia uma série de perguntas e, desejosos de participar e ganhar as balas, todos levantavam as mãos querendo uma chance para responder.

Algumas horas depois, quando as crianças já tinham ouvido todas as histórias que eu tinha levado e as balas estavam no fim, elas me trocaram pelo pula-pula, mas não sem antes eu ganhar um presente. Uma garotinha morena e de cabelos cacheados se aproximou de mim, me juntando em um abraço apertado.

— Você é muito legal, tia. Gostei muito de ouvir suas histórias — ela disse, e agarrou a minha cintura.

— Ah, que bom que gostou! Você gosta de ler?

— Sim, eu sempre pego livros na biblioteca da minha escola... — Aquela garotinha se parecia tanto comigo.

— Que bacana! Quer levar um deles para você?

— Sério, tia?

— Sério! Pode escolher.

Ela foi até a minha caixa e escolheu a história de Rute.

— Pode ser esse? A Rute é a minha preferida! Mamãe me ensinou que, mesmo sofrendo, a Rute escolheu ser bondosa e corajosa.

— Claro que pode! Verdade, ela foi muito bondosa.

— Muito obrigada, tia! Você também é muito boazinha. — Ela me puxou para mais um abraço apertado e, antes que eu pudesse dizer qualquer outra coisa, saiu correndo, balançando o livrinho para todo mundo ver.

Rute também costumava ser uma das minhas histórias favoritas quando eu era criança. Naquela época, eu não tinha a mínima ideia do que era perder alguém, mas mesmo assim me encantava com a força e o amor daquela jovem mulher, bem como sua disposição em cuidar da sogra.

Depois de sentir uma dor parecida, eu sabia que não era nenhum pouco fácil manter a bondade e a coragem quando o seu mundo perdia o chão. E diferentemente do que aquela garotinha dissera, eu estava bem longe de ser boazinha. Em vez de escolher a coragem e a bondade, e usá-las para enfrentar minha dor, eu tinha me escondido.

— Ei, já acabou de contar suas histórias? — Adam me pegou de surpresa, tirando-me dos meus pensamentos. Pelo visto, ele gostava de fazer isso.

— Já! Acabei sendo trocada pelo pula-pula, acredita?

— Que criança resiste, né? — ele arqueou os ombros, impotente. — Aposto que nem você resistiria a ele...

— Acho que eu estou bem grandinha para isso — falei, juntando minhas coisas.

— Você é que pensa — ele me olhou desafiadoramente. — Quer dar uma volta?

— Pode ser.

À medida que andávamos pela feira, pude ver pelo menos uma parte do exército de anônimos que se dispunham a ajudar outras pessoas. Mais do que falar do Deus a quem serviam, eles estavam amando aquelas pessoas como o seu Deus amava. Era bonito de ver. Havia médicos que cederam algumas horas do seu fim de semana para atender de graça. Famílias inteiras estavam ali servindo outras pessoas, seja com um corte de cabelo, distribuindo cestas básicas ou simplesmente compartilhando as alegrias e dificuldades da vida. Havia muitos jovens também, brincando com as crianças, organizando as filas, cantando e ajudando as pessoas.

Depois de circular por toda a feira e conhecer alguns amigos do Adam, nós dois nos sentamos na tenda da cantina e lanchamos.

— A sua igreja faz este trabalho de ação social há muito tempo? — perguntei.

— Há alguns anos, pelo menos. Era um sonho antigo do meu pai.

— Como esse sonho surgiu?

— Ele cresceu em uma comunidade simples como essa, sabe? Meus avós eram muito humildes e tinham uma vida bem difícil, não havia espaço para luxo. Meu pai e os irmãos começaram a trabalhar desde muito cedo para ajudar em casa. — Ele parou por um instante, olhando para a feira. — O irmão mais novo do meu pai sonhava em ter uma vida melhor, mas acabou seduzido por uma opção mais rápida e fácil: o tráfico. Acabou sendo assassinado ainda muito jovem — Adam explicou, e baixou os olhos, triste.

— Nossa! Sinto muito, Adam.

— Não, está tudo bem. Apesar de ter sido muito difícil para a minha família, eles conseguiram transformar a dor em vida. — Seu rosto ficou mais leve. — Depois de perder o irmão, meu pai se comprometeu a dedicar parte da vida dele a ajudar outras pessoas, famílias que estivessem lidando com problemas e situações parecidas com as quais ele havia crescido. E é isso que ele tem feito através dessas ações sociais. Se você estivesse aqui ano passado, veria os meus avós andando pela feira, ajudando também.

— Uau! Que história, Adam. Não é nenhum pouco fácil transformar a dor da perda em algo bom, é tão mais cômodo deixar-se levar pela dor... — Contra a minha vontade, minha voz soou embargada.

— Parece que você também tem experiência nessa área.

— Mas eu não fiz como a sua família. — Estalei os dedos, nervosa. — Me esconder entre os livros foi muito mais fácil. Ignorar as pessoas à minha volta também.

— É por isso que você prefere ficar na biblioteca na hora do recreio? — Ele me empurrou de leve com o ombro.

— É — confessei.

Ele assentiu.

— Quem você perdeu? — Adam perguntou depois de algum tempo em silêncio.

— Minha mãe... em um acidente de carro há cinco anos.

— Sinto muito, Isabela. — Ele segurou minha mão, apertando-a gentilmente.

— Obrigada. Eu só... — O aperto em minha garganta fez com que minha voz soasse ainda mais embargada. — Não consigo entender como Deus pode deixar essas coisas acontecerem, sabe? Por que pessoas boas morrem cedo?

— Existem coisas que não são fáceis de entender mesmo. Provavelmente meu pai teria uma resposta teológica mais sofisticada e bonita para você, mas se eu aprendi uma coisa ao longo desses anos todos é que Deus não perde o controle da nossa história. Mesmo que a gente não consiga entender o porquê de certas coisas, há uma razão para tudo.

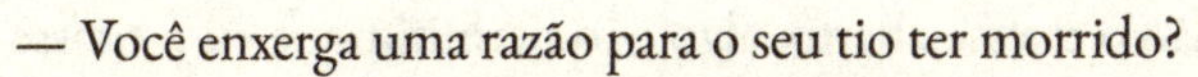

— Você enxerga uma razão para o seu tio ter morrido?

— A morte dele foi uma perda horrível para a minha família, sem dúvida. Ainda assim, em meio a essa dor tão profunda, um propósito nasceu no coração do meu pai e dos meus avós. Você não acha que vidas foram abençoadas hoje?

— Claro que sim.

— Pois é, como diz minha avó, dias como esses são como flores nascendo no deserto. Acho que hoje você plantou algumas flores e ao mesmo tempo floresceu. Pense bem, todo o tempo que você passou nas bibliotecas foi bem útil, né? Você levou esperança, alegria e fé para a vida daquelas crianças. Talvez, daqui a alguns anos, uma delas se lembre exatamente de uma das histórias que você contou hoje e isso mude o dia ou mesmo a vida dela. Ou quem sabe já tenha mudado... — Ele apontou para a garotinha cacheada que ainda estava com o livro de Rute debaixo do braço.

— É, talvez.

Ao voltarmos para casa ao fim do dia, a Kombi foi invadida por uma sensação de dever cumprido. Alguns jovens voluntários voltaram com a gente e não pararam um minuto sequer de cantar e brincar, explodindo de alegria pelo dia que tiveram. Eu também estava sendo invadida por pelo menos um pouquinho daquela sensação de alegria, mas não conseguia deixar de pensar nas palavras do Adam.

Chegando em casa, contornei a garagem e fui para o jardim. Sem as flores, o jardim era um amontoado de galhos e espinhos, sem nenhuma beleza. Uma fera capaz de ferir ao menor toque, assim como uma pessoa ferida.

Sentei no banquinho de pedra que ficava bem no centro do jardim. A caixa de livros estava ao meu lado. Era hora de dar uma chance para o livro favorito da minha mãe. Ele estava no fundo daquela caixa. Já estava lá quando a peguei no dia anterior. Embora

ainda não o tivesse aberto, algo não permitiu que eu o tirasse da caixa e o deixasse guardado no escritório. Uma voz fraca, vinda do meu interior, me dizia para abri-lo. Talvez ali eu encontrasse as respostas para as perguntas que vinha fazendo a Deus.

Nos dias seguintes à ação social, um desejo muito grande de levar uma vida mais corajosa e bondosa começou a pulsar em meu coração. Nos últimos anos, tinha passado tanto tempo magoada com Deus e brava com o mundo pela morte da minha mãe que deixei de olhar para as pessoas à minha volta, encontrando refúgio no meu mundo literário, como se as coisas só fizessem sentido lá. Mas eu estava enganada. Talvez tivesse chegado a hora de mudar.

Por isso, quando saí da escola naquele dia, fui à mercearia disposta a encontrar ideias para ajudar meu pai. Talvez houvesse algo que pudéssemos fazer para estimular as vendas ou cortar os gastos. No entanto, quando cheguei à mercearia, não o encontrei.

— Onde está meu pai, Sara?

— Ele teve que ir à Espera Feliz resolver algumas coisas da mercearia. Só deve voltar amanhã à tarde. Pediu que eu ficasse com você.

— Ele não me avisou que ia viajar — resmunguei.

— Ele tem andado bem preocupado, não acha? — Sara olhou aflita para mim por um instante, antes de voltar sua atenção para as panelas no fogão. — Eu também não sabia até hoje de manhã que ele viajaria.

— É, ele tem andado preocupado mesmo — respondi brevemente, porque não sabia como poderia explicar para Sara o que estava acontecendo.

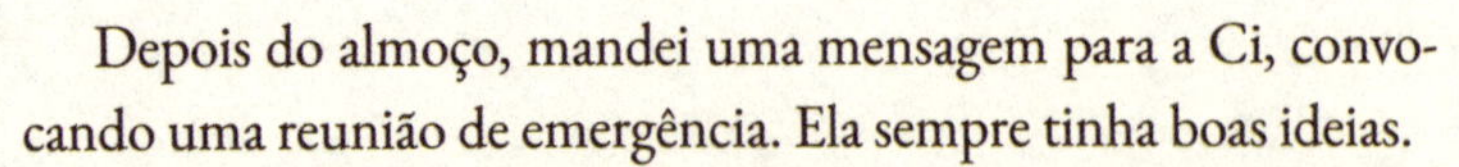

Depois do almoço, mandei uma mensagem para a Ci, convocando uma reunião de emergência. Ela sempre tinha boas ideias.

Minha amiga não demorou a aparecer, estacionando a bicicleta rosa em frente à mercearia.

— E aí, qual é a emergência? — Ela se espremeu ao meu lado em um dos caixas.

— Fale baixo, garota! — Olhei em volta para ter certeza de que a Sara ou o Jonathan não estavam por perto, e só então expliquei o problema financeiro do meu pai.

— Sinto muito, amiga — ela apertou meu ombro.

— Tudo bem, Ci — dei-lhe um sorriso. — Será que a gente consegue pensar em alguma coisa?

— Claro! — Ci ficou quieta por alguns instantes. — E se criássemos perfis nas redes sociais para a mercearia? Na verdade, é até um pecado vocês ainda não terem feito isso.

— Verdade, pode ser uma boa.

— Claro que sim. Poderíamos postar fotos com as promoções do dia, criar uns descontos, fazer uns sorteios. Dá para fazer uma porção de coisas! — Ci bateu as mãos e deu pulinhos, empolgada.

— Vou te contratar como nossa garota propaganda — brinquei.

— Vou adorar ter comida como "recebidos".

— Ah, tive outra ideia! E se recebêssemos pedidos de compras por telefone ou mensagem? Poderíamos fazer entregas nas residências.

— É uma ideia bacana, sim. Só que as entregas dariam um pouco mais de trabalho.

Passamos o resto da tarde imaginando soluções simples e práticas que poderiam ajudar a mercearia. Anotamos algumas, descrevendo os prós e contras. No fim da tarde só faltava o mais importante: convencer meu pai.

Depois de fechar a mercearia, Sara foi comigo para casa. Pela primeira vez em anos, nossa cozinha foi usada de verdade. Não é que eu nunca tenha cozinhado, eu até fazia algumas coisas — que nem sempre saíam tão bem quanto minha intenção, mas fazia. Minha omelete, por exemplo, era incrível!

Sara já tinha vindo em casa outras vezes, porém nunca passara tanto tempo na cozinha assim. Depois de alguns minutos me perguntando onde estavam os utensílios de que precisaria, Sara dominou a cozinha. Enquanto se movia do fogão para a pia, e da pia para o fogão, vários cheiros deliciosos invadiram a casa.

Pretendendo impedi-la de fazer mais abóboras — porque vi quando ela as escolheu na mercearia —, resolvi me sentar na grande mesa de madeira da cozinha. Durante o tempo em que fiz o dever de casa, vigiei as abóboras que estavam em cima da pia.

Acabei deixando o caderno de lado depois de um tempo.

— Sara, você precisa de ajuda?

Deixando a cadeira, me encostei na pia.

— Que tal você preparar a salada?

— Você não confia em mim para nada mais importante do que a salada? — brinquei.

— Ah, não. Eu confio! Mas já está praticamente tudo pronto.

— Vou te mostrar o quão boa eu sou fazendo uma salada!

— Já posso imaginar! — ela sorriu.

— Para isso preciso dos meus equipamentos. — Estendi o braço em direção à janela sobre a pia e liguei o pequeno rádio que ficava no parapeito. Conectando-o ao celular, coloquei uma *playlist* para tocar.

— Música é um dos seus equipamentos? — Sara perguntou incrédula.

— Claro! E dá para fazer alguma coisa sem música, Sara? — questionei, perplexa.

Enquanto eu fazia a salada, Sara me ensinou alguns truques com a faca, que me impossibilitariam de me acidentar no futuro, o que era bom, porque isso costumava acontecer com frequência.

Estávamos escutando uma dessas *playlists* aleatórias, com uma lista infinita de músicas que você já ouviu ou que são parecidas com as que geralmente escuta, quando "Aba", da Laura Souguellis, começou a tocar. Já tinha sido uma das minhas músicas favoritas, mas nos últimos anos eu não gostava mais tanto assim, já que o Aba, o Pai no céu, parecia estar distante e silencioso. Contudo, nos últimos dias, comecei a senti-lo mais perto, por isso não pulei a canção. Além disso, Sara a cantarolava baixinho.

— Então você também canta, né? — comentei, quando a música já estava no finzinho.

— Termina a sua salada, menina! — ela me deu um leve tapa com a colher de pau que acabara de lavar.

Sara me fez arrumar a mesa da copa, e depois que tomamos banho nos sentamos para jantar.

— Bela, você pode fazer uma oração agradecendo o jantar?

Ops.

— Sara, eu não gosto de orar em voz alta... — tentei escapar.

— Por que não? Você está falando com o Deus que nos conhece melhor do que ninguém. Ele, sim, deveria ter vergonha de nós, mas não tem — ela deu de ombros.

— Está bem...

No começo da oração me senti muito estranha, como amigos que se reencontram depois de muito tempo sem saber se ainda são amigos. Não sabia muito bem que palavras usar e pelo que agradecer. Contudo, ao insistir, as palavras acabaram saindo naturalmente. Pelo que eu era grata? Por não faltar comida em nossa mesa, pela vida do meu pai — mesmo com toda a sua obsessão pelos acidentes de trânsito —, pela vida da Ci, da Sara e do Jonathan, e pelo Adam, aquele garoto bondoso e gentil que me deixava intrigada. Havia mais motivos para agradecer do que eu imaginava.

Eu já estava no quarto quando o telefone fixo tocou. Desci até a sala para pegar o aparelho.

— Alô.

— Oi, Bela. É o papai.

— Oi, pai! Tudo bem?

— Tudo, filha. Como estão as coisas aí? Você não está dando trabalho para a Sara, está?

— Estou tentando não dar. Ah, hoje à tarde, a Cecília e eu tivemos várias ideias que podem ajudar a mercearia.

— Escuta, filha... — Ele fez uma pausa, e pude ouvir sua respiração profunda, e podia também imaginá-lo coçando a testa e os cabelos, preocupado. — Espero resolver as coisas até amanhã e voltar com boas notícias. Não quero que você se preocupe, não é sua responsabilidade.

— Eu não me importo em ajudar, pai.

— Tudo bem, querida. Quando eu chegar, conversamos. Você gostaria que eu te levasse alguma coisa?

— Você poderia trazer sementes de rosa vermelha? Abril é um bom mês para plantar rosas. — Eu estava decidida a cuidar do jardim, ele merecia florescer novamente, e a rosa vermelha era a flor favorita da mamãe.

— Claro, vou levar. Até amanhã, Bela.

— Até, pai.

Quando estava voltando para o quarto, vi que Lucy perturbava nossa visita. Sara estava sentada em uma poltrona no quarto de hóspedes com uma Bíblia aberta no colo. Enrolada em seus pés estava Lucy, toda à vontade, ao contrário de Sara, que não se movia um só centímetro.

— Ela não morde, sabia? Nem arranha. — Encostei no batente da porta, observando a cena.

— Eu sei... É que eu não sou muito fã de gatos. — Sara continuou sem se mexer.

— Se você parar de cozinhar abóboras, eu te salvo.

— As abóboras são inegociáveis.

Para a sorte de Sara, Lucy resolveu deixá-la em paz, saindo do quarto.

— Poxa, não foi desta vez que me livrei das abóboras! — cruzei os braços, fazendo Sara rir.

— Seu pai ainda parecia preocupado?

— É, um pouco — sentei na beirada da cama, de frente para a Sara.

— Tem uma coisa que poderíamos fazer para ajudar.

— O quê?

— Orar por ele. Você quer?

— Pode ser.

6

— Ué, não vai à biblioteca hoje? — Adam estava parado na porta da sala, me impedindo de passar.

— Não, o *tour* pela escola que você me ofereceu não foi completo — cruzei os braços.

— Porque a senhorita não quis — ele também cruzou os braços.

— É tarde para querer?

— Claro que não. Vamos lá. — Adam abriu o caminho para que eu passasse.

Não havia tanta coisa assim para ver na escola, o que fez com que o *tour* não fosse muito demorado, mas foi divertido. Depois de comprarmos o lanche, nos sentamos na arquibancada com os amigos de Adam — alguns eram voluntários que eu havia conhecido na ação social. Até que foi bacana deixar a biblioteca por um tempo.

Terminada a aula, pedalei até a mercearia, com a lista de ideias revolucionárias guardada na mochila. Tudo o que eu queria era discuti-las com meu pai, mas assim como no dia anterior, ele não estava lá.

Passei a tarde ajudando o Jonathan a arrumar os produtos nas prateleiras, ansiosa pela chegada do meu pai. Quando faltava pouco para fechar a mercearia, nossa atenção foi roubada por um guincho que estacionou em frente à loja.

Em cima do guincho estava o carro do meu pai. Meu coração pulou com o susto! Receosa, permaneci sentada no caixa, estalando os dedos, enquanto Sara foi até lá fora ver o que tinha acontecido. Alguns minutos depois, para meu alívio, Sara apareceu acompanhada do meu pai.

— O que foi que aconteceu? — perguntei, quando eles se aproximaram do caixa onde eu estava.

— Nada grave, graças ao bom Deus! — Sara soou aliviada.

— Eu já estava saindo de Espera Feliz quando lembrei das suas sementes, Bela — meu pai começou a explicar. — Voltei à cidade e as comprei. Quando peguei a pista de novo, o carro começou a soltar uma fumaça que me deixou preocupado. Foi só parar no acostamento que me lembrei: não tinha colocado água no carro.

— Ai, pai! — Ele já tinha feito isso antes.

— Mas olha como são as coisas... — ele cruzou os braços, pensativo. — Eu ia ficar naquela pista um tempão, esperando uma boa alma parar para me ajudar, porque o sinal de celular não é nada bom naquelas bandas. Mas adivinha só quem passou?

— Quem?

— O pastor Daniel, pai do seu amigo Adam!

— Nossa, que coincidência!

— Coincidência nada. É Deus mesmo! — Sara afirmou.

Nos minutos seguintes, meu pai contou detalhadamente como o senhor Daniel o havia ajudado, amarrando o nosso carro na Kombi e puxando-o de volta até Espera Feliz. Lá, eles conseguiram acionar o guincho e voltar para a nossa cidade. Entretanto, um brilho especial nos olhos do meu pai e uma alegria incomum me diziam que havia algo mais.

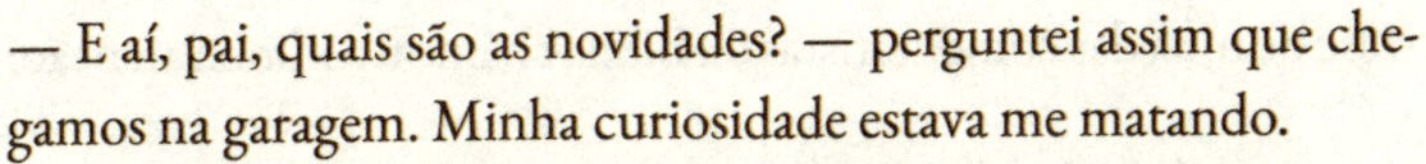

— E aí, pai, quais são as novidades? — perguntei assim que chegamos na garagem. Minha curiosidade estava me matando.

— É, filha, a vida é mesmo surpreendente. — Ele fechou a garagem e entramos em casa. — Fui até Espera Feliz para tentar um empréstimo e até consegui, mas não o valor que pretendia. O que me deixou um pouco triste e me fez esquecer de checar a água do carro. Mas que oportuno foi encontrar o pastor Daniel! Conversa vai, conversa vem, acabei contando sobre o nosso problema financeiro para ele, e não é que ele me fez uma proposta? — Papai parou de falar, todo misterioso.

— Meu Deus, pai! Conta logo — implorei.

— Ele me disse que faz compras mensais de uma grande quantidade de cestas básicas e se comprometeu a comprá-las conosco nos próximos meses. Também vai me indicar para outras igrejas que compram alimentos. O aumento das vendas, mais o empréstimo, podem ser a receita perfeita para nos ajudar a manter a mercearia e os funcionários!

— Como a Sara diz: Graças a Deus! — me joguei no sofá, aliviada. — Também pensei em algumas estratégias, lembra?

— Claro que lembro. Estou pronto para ouvi-las!

Ele se sentou em sua velha poltrona e passamos horas conversando sobre o que mais poderíamos fazer.

Antes de deitar, sentei na minha escrivaninha e peguei a velha Bíblia da minha mãe. Sua presença havia sido eternizada nas páginas

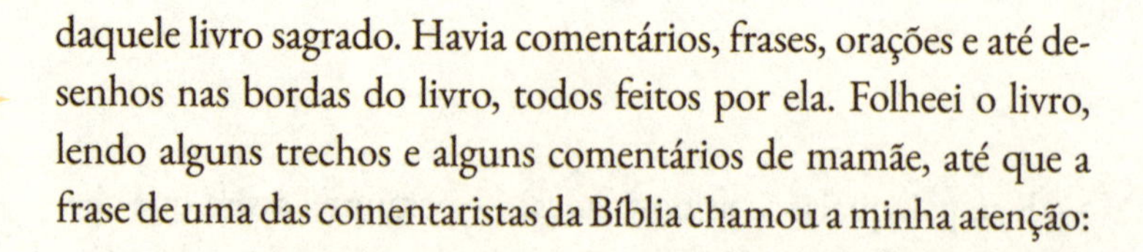

daquele livro sagrado. Havia comentários, frases, orações e até desenhos nas bordas do livro, todos feitos por ela. Folheei o livro, lendo alguns trechos e alguns comentários de mamãe, até que a frase de uma das comentaristas da Bíblia chamou a minha atenção:

Existe algo sobre nosso Deus que eu amo: Ele tem nosso mapa.
Ele o conhece. Ele não perdeu o controle sobre nós,
mesmo quando perdemos a trilha de nós mesmos.
Patsy Clairmont

Há poucas semanas, eu falava para mim mesma que Deus não se importava comigo ou com a minha família. A morte violenta e abrupta de minha mãe era a prova disso. Contudo, nos últimos dias, minha forma de enxergar a vida havia começado a mudar.

Trocar de escola e conhecer o Adam foi muito importante para essa mudança. Afinal, não era todo dia que se conhecia alguém tão jovem, alguém que podia estar curtindo a vida e preocupando-se apenas consigo mesmo, mas que preferia passar grande parte de seus dias amando e servindo os outros. A bondade e gentiliza de Adam, assim como o trabalho desempenhado por sua família, tinham me mostrado que ainda havia beleza e esperança no mundo, mesmo que os dias fossem difíceis.

Em meio a tantas novidades, os problemas financeiros do meu pai surgiram trazendo incerteza e insegurança, e enquanto buscávamos resolver os problemas por conta própria Deus trouxe uma solução muito melhor.

Olhando em retrospectiva, era impossível não crer que durante todo o tempo em que tentei trilhar o meu próprio caminho, enraivecida e desanimada, Deus me cercou e cuidou de mim. Ele nunca havia perdido o controle, mesmo quando eu perdi.

Epílogo

Acordei cedo naquela manhã, com os raios de sol atravessando a cortina branca do meu quarto. Queria aproveitar aquele sábado para plantar as sementes de rosa vermelha, mas para isso precisava primeiro limpar todo o jardim. Ainda bem que Adam e Cecília haviam se oferecido para ajudar. Aquela era a desculpa perfeita para a Ci conhecer o Adam. Ela estava curiosa, já que acabei falando demais sobre ele nas últimas semanas.

Deixando a cama quentinha, fiz uma parada na escrivaninha e li um salmo antes de começar o dia. Fazia alguns dias que eu estava construindo esse novo hábito, me alimentando da Palavra, orando e aprendendo com as notas que minha mãe havia deixado na Bíblia. Assim como o jardim, muita coisa em mim precisava de cuidado, e nem todas as etapas do processo eram prazerosas, ainda que fossem necessárias.

Troquei o pijama por uma jardineira *jeans* e dei uma arrumada nos cachos com os dedos, juntando-os em um rabo de cavalo. Estava ansiosa para tomar o café da manhã.

Na noite passada, Sara veio nos visitar após o expediente e fizemos um bolo de fubá — um dos meus favoritos! As poucas fatias que haviam sobrado me esperavam na cozinha. Para falar a verdade, Sara e meu pai estavam bem próximos desde o incidente do carro. Parecia que, assim como eu, ele estava começando a aceitar a morte da mamãe e disposto a viver um novo capítulo, com mais sorrisos, gratidão e menos noticiário. Ah, e os olhares que papai e Sara andavam trocando, por mais modestos e vergonhosos que fossem, me diziam que alguma coisa estava prestes a acontecer.

Quando eu estava terminando de tomar o café da manhã, a campainha tocou.

— Você não me falou que tínhamos que nos vestir a caráter — Adam brincou assim que abri a porta.

— Pois é, precisava! Esqueci de te avisar, seu bobo — dei um soco leve em seu braço.

— Pelo menos eu trouxe algumas ferramentas necessárias — ele apontou para o carrinho de mão atrás dele, repleto de sacolas e ferramentas.

— Isso sim é útil. Já tomou café da manhã?

— Minha mãe não deixa sair de casa sem! — ele deu de ombros.

— Ela faz bem. Vamos? — Fechando a porta da frente, abri o portão ao lado da garagem que dava acesso ao jardim.

— Claro. A sua amiga já chegou? — Adam empurrava o carrinho de mão atrás de mim.

— Ainda não. Nervoso?

— Ah, nem um pouco. Conheço *influencer digital* todo dia — ele riu, nervoso. — Ela não vai querer filmar a gente, vai?

— Ela vai querer, mas eu não vou deixar. Também não gosto de aparecer.

Paramos no centro do jardim, próximos ao banco de pedra.

— É lindo aqui, Bela. — Adam deu um giro de 360° graus, admirando o jardim.

Apesar da ausência de beleza das flores, o jardim ainda conseguia ser bonito. A grama que cobria todo o espaço estava bem verdinha e o velho pé de carvalho, embora tivesse perdido suas

folhas por causa do outono, ainda estava imponente, com o nosso balanço de madeira ainda amarrado em um dos seus galhos.

— Por enquanto ele é uma fera indomada, mas ainda assim é bonito — comentei.

— Ah, até nós corremos esse risco. — Ele respirou fundo, cruzando os braços. — Lembra daquele livro que eu te falei que estava lendo?

— Aquele do Max Lucado, *Ele escolheu os cravos*?

— Isso. Tem uma parte do livro que achei muito interessante, e não sei por que — ele riu, pensativo — me veio à mente agora. O Max fala que todos nós somos como feras preocupadas com o nosso próprio universo, lutando as nossas próprias guerras e em uma busca frenética por saciar os próprios desejos. Não há nada de belo em nós, Isabela. Absolutamente nada. Assim como este jardim, sem os devidos cuidados a beleza se vai e só resta a fera. A verdadeira beleza está em Jesus, e só nele a fera que há em nós pode ser redimida e tornar-se bela.

— Isso faz sentido. — Sentei no banco de pedra, admirando o jardim e pensando em tudo o que Adam tinha dito. — Acho que depois que minha mãe morreu eu vivi nesse estado "selvagem" — fiz aspas com as mãos. — Eu era uma fera. Estava tão revoltada com a morte dela que me julguei no direito de ser individualista e egoísta. Preferi ficar sozinha, escondida entre os livros, ignorando meus amigos e minha família. Até perdi contato com alguns deles.

— O processo do luto não é fácil mesmo, Bela. E cada pessoa passa por ele de um jeito. — Adam se sentou ao meu lado. — O importante é que você o está vencendo e descobrindo que Deus não é o seu inimigo, mas sim seu aliado.

— Quando foi que você ficou tão sábio assim, hein?

— Acho que nasci assim — ele cruzou os braços, com um falso ar de superioridade. Juntos, caímos na risada.

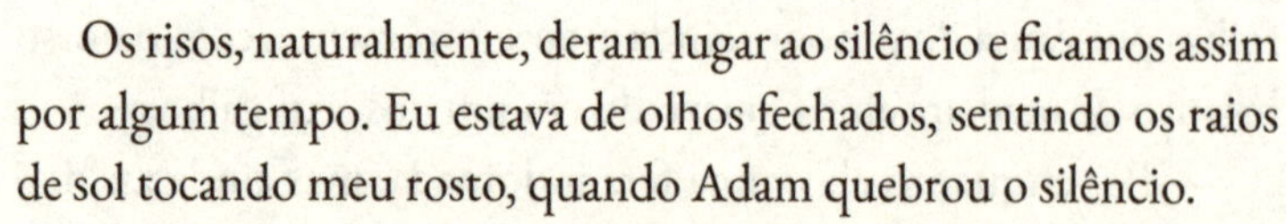

Os risos, naturalmente, deram lugar ao silêncio e ficamos assim por algum tempo. Eu estava de olhos fechados, sentindo os raios de sol tocando meu rosto, quando Adam quebrou o silêncio.

— Isabela?

— Sim? — respondi, ainda de olhos fechados.

— Abriu uma livraria com cafeteria na cidade, sabia?

— É, ouvi falar.

— Será que você gostaria de ir lá comigo na próxima sexta?

Abri os olhos, surpresa.

— Tipo um encontro? — perguntei, curiosa. Aquilo nunca tinha acontecido comigo.

— É, tipo um encontro — ele me deu um desses sorrisos tortos, muito lindo por sinal.

— Tudo bem.

Um frio estranho surgiu em minha barriga.

— Posso te pegar às cinco da tarde?

— Claro, combinado.

— É assim que vocês estão limpando o jardim, é? — Ci chegou, falando alto e quebrando o clima.

Assim como o jardim, havia muita coisa ainda a ser feita em mim. Entretanto, eu não estava preocupada, porque descobri que não estava sozinha. De fato, meus livros estariam ali para mim, cheios de alegria, aventuras e romances, porém a melhor parte era saber que eu não estava sozinha. Pelo contrário, eu estava cercada por bons amigos e, principalmente, contava com o cuidado e o zelo do Criador das estrelas.

Minha aventura escrita por ele estava apenas começando...

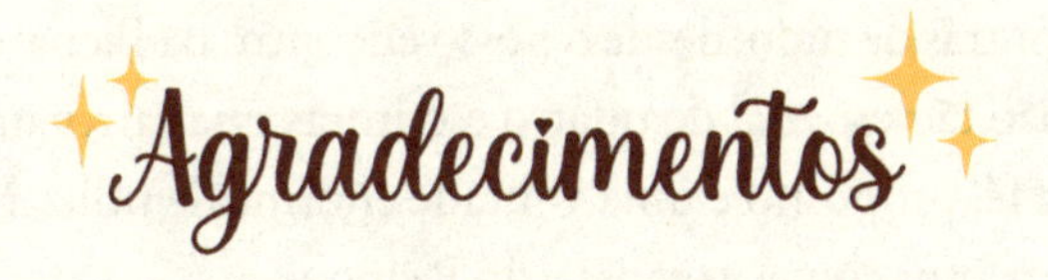

Agradecimentos

Em agosto de 2018, enquanto conversávamos em uma fila na praça de alimentação da Bienal do Livro de São Paulo, nossos papos foram muito além de batatas fritas, *Once Upon a Time* e nossas experiências como escritoras. Ali, *Corajosas* nasceu — ainda bem tímido e sem esse título, é verdade. Não fazíamos ideia do que ele se tornaria, muito menos do que Deus tinha reservado para nós. Ah, se soubéssemos! Convenhamos, não teria tanta graça... É muito melhor ser surpreendida pelo Senhor, não é mesmo?

E como fomos!

De 2018 a 2021, quando *Corajosas* foi publicado em *ebook* na Amazon, trilhamos uma longa jornada. Foram muitas conversas no WhatsApp para definir personagens, formatos, o processo de publicação, entre tantas outras decisões. Em alguns meses, precisamos ficar em silêncio, deixando o projeto na gaveta. Muitas coisas estavam acontecendo em nossas jornadas pessoais. Arlene teve um bebê. Maria estava envolvida em trabalhos missionários. Queren precisava se dedicar à família e à divulgação de ficção cristã. E Thaís terminou a faculdade e entrou no mestrado. Nesses meses de silêncio, em que nosso grupinho no WhatsApp ficou parado, contamos com o apoio e encorajamento de Hugo Diniz, o marido da Arlene, que acreditou neste projeto com afinco e não nos deixou desistir dele. Muito obrigada, Hugo!

E, claro, contamos com o cuidado do nosso Aba, aquele que estava por trás de tudo, desde o nosso encontro na Bienal em 2018 até a união tão especial de quatro escritoras que carregam no peito muita fé, propósito e uma vontade enorme de utilizar a escrita para contribuir com a expansão do Reino.

Somos imensuravelmente gratas ao Senhor por ter permitido que este sonho nascesse em nosso coração e ocupasse tanto nossos dias nos últimos anos. Ele nos permitiu provar de seu cuidado, bondade e fidelidade inúmeras vezes, ajudando-nos a tirar da gaveta nossas princesas. Muito obrigada, Senhor! Nosso coração sempre queimará de gratidão a ti.

Queremos demonstrar nossa gratidão às escritoras Luisa Cisterna e Pat Müller por terem feito uma leitura crítica dos textos, acrescentando tantas dicas úteis e nos encorajando a seguir em frente. Obrigada por tanto!

Lembra que falamos em sermos surpreendidas? Bom, desde que *Corajosas* foi publicado na Amazon como *ebook*, não paramos de sermos pegas de surpresa. Já na pré-venda, ficamos encantadas com a recepção. Com mais ou menos um mês de publicação, o livro já tinha mais de uma centena de avaliações na Amazon (temos os melhores leitores, não é?). E ficamos entre os livros mais vendidos da nossa categoria por mais de um ano! Acredita nisso?! Às vezes nós precisamos nos beliscar (haha) só para checar se não estamos sonhando.

Essa recepção de vocês, as avaliações, comentários e divulgações foram essenciais para que *Corajosas* chegasse fisicamente às suas casas, inicialmente através de uma publicação independente. Assim que lançamos nossa versão física, vocês nos encantaram mais uma vez esgotando com facilidade nossos estoques em todos os nossos lotes de vendas! O apoio de vocês foi essencial para que *Corajosas* chegasse aos quatro cantos do Brasil e voasse até a Europa.

Somos muito gratas a cada leitora (e leitor!) que não apenas conheceu nosso livro, mas também nos apoiou lendo, resenhando, divulgando, avaliando ou mesmo vindo compartilhar seus testemunhos conosco. Saibam que a jornada para escrever um livro, publicá-lo e fazê-lo ser lido no Brasil, principalmente uma obra considerada ficção cristã, é desafiadora, no entanto vocês têm feito valer a pena cada esforço, renúncia e sacrifício da nossa parte. Nosso muito obrigada aos melhores leitores do mundo!

Quando pensávamos que já havíamos sido surpreendidas o suficiente, o Senhor nos permitiu provar de sua bondade e fidelidade mais uma vez, viu? Há mais de um ano orávamos para que Deus abrisse as portas de uma casa editorial que nos ajudasse a levar *Corajosas* para o máximo de garotas possível, o que dificilmente conseguiríamos fazer sozinhas. Então, quando menos esperávamos, de um jeitinho surpreendente, Deus respondeu às nossas orações.

Fazer parte do time de escritores da Mundo Cristão é mais que um sonho para cada uma de nós, é a resposta de inúmeras orações. Somos gratas a Deus por ter aberto essa porta na MC e por tê-lo feito de um modo tão especial. Destacamos aqui nossa gratidão a todo o time da editora que se encantou por nosso projeto e não mediu esforços para nos ajudar a levar *Corajosas* para ainda mais lares! Também somos gratas ao Daniel Faria, nosso editor, e ao Marcelo Martins por acreditarem tanto em *Corajosas* e em nossos propósitos com a ficção cristã. Vocês dois demonstraram tanto carinho, empolgação e amor por essa história! Muito obrigada. Sério!

Queremos deixar aqui um agradecimento especial às nossas famílias, que abraçaram nosso chamado para a escrita e têm nos apoiado em nosso trabalho diariamente. Também somos gratas aos amigos e irmãos na fé que nos encorajam, ensinam, exortam e oram por nós. Que Deus abençoe todos vocês!

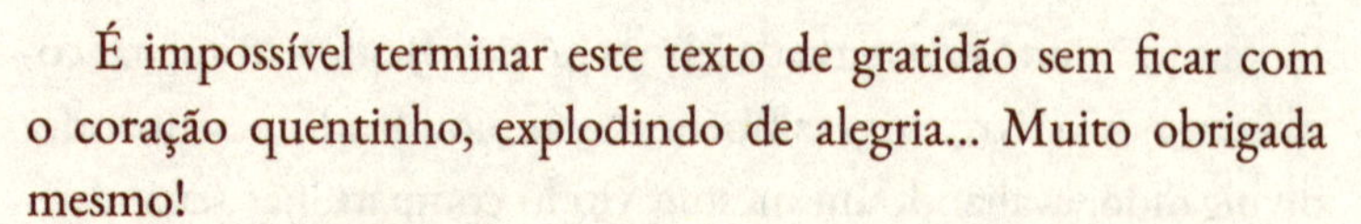

É impossível terminar este texto de gratidão sem ficar com o coração quentinho, explodindo de alegria... Muito obrigada mesmo!

Nos vemos na próxima, se Deus quiser.

As autoras

Sobre as autoras

Arlene Diniz tem 28 anos, é formada em Serviço Social, pós-graduada em Missão Urbana e escreve livros com o objetivo de espalhar o amor e a Palavra de Deus, e também para encorajar pessoas, principalmente adolescentes, a verem a vida por uma perspectiva diferente. Mora em Paraty, no Rio de Janeiro, com seu marido Hugo e a filhinha Melinda, e servem na Igreja Presbiteriana de Mambucaba. Arlene escreve em *blogs* desde a adolescência e começou no mercado editorial em 2017 com a publicação do livro de ficção cristã juvenil *Uma viagem nem um pouco sonhada* e lançou mais dois livros, *De volta à realidade* (2018) e *Trilhando o caminho* (2020). Os três formam a série de livros Os Desafios de Betina. Participou também de outras antologias com artigos e contos cristãos.

Queren Ane é uma carioca de 29 anos, cristã, casada e mãe de dois meninos lindos. É leitora voraz e apaixonada por contar histórias. Em 2016, iniciou sua jornada como escritora no Wattpad. Em 2018, publicou seu primeiro livro de ficção cristã juvenil, *Esse tal de amor*, e em 2020 lançou *Meu coração é seu*. Seus livros têm abençoado a vida de centenas de jovens. Como autora, participou de outras antologias de ficção cristã, poesia e devocionais. Queren ama falar sobre o amor de Deus em suas histórias. Serve

na sua igreja local, Igreja Profetizando às Nações, ensinando crianças e juniores.

Maria S. Araújo tem 29 anos, é nordestina com orgulho, formada em Pedagogia e missionária em tempo integral. Ama servir e participar do que Deus já está fazendo. Sua paixão pela leitura a levou a escrever seu primeiro livro de ficção cristã, lançado em 2016. Tem participação em antologias e um devocional para garotas. É coautora, ainda, do romance cristão *Além do esperado*. Acredita que é necessário viver, não apenas existir, pois Deus é o autor da sua história. Atualmente, serve como missionária na Califórnia, nos Estados Unidos, ministrando para adolescentes e jovens.

Thaís Oliveira é uma capixaba de 27 anos que tem utilizado as palavras e as redes sociais para compartilhar com o maior número possível de garotas o quanto Deus as ama e quem elas realmente são aos olhos dele. Criadora do ministério *on-line* Princesas Adoradoras Oficial, Thaís tem escrito sobre identidade, paternidade divina e vida cristã, sempre cercada por xícaras de café, livros e fofurices. É autora de *Princesas adoradoras: Um chamado para a realeza*, *Bom dia, Princesa*, *A jornada da realeza*, entre outros. É formada em História e mestre em Educação Básica e Formação de Professores.

Se *Corajosas* tocou o seu coração, nos deixe saber.
Compartilhe suas impressões de leitura escrevendo para:
corajosas.contato@gmail.com

Acesse o nosso site: www.corajosas.com.br

Leia também!

Surpreenda-se com as aventuras e desventuras de quatro novas princesas da vida real que lhe mostrarão que é possível encontrar contentamento apesar das dificuldades que inevitavelmente surgirão ao longo do caminho. Deus é o roteirista de sua vida! Compreender essa verdade fará você seguir em frente com confiança e coragem, na certeza de que nada é por acaso e que os planos do Rei são maiores que os seus.

Compartilhe suas impressões de leitura,
mencionando o título da obra, pelo e-mail
opiniao-do-leitor@mundocristao.com.br
ou por nossas redes sociais

Esta obra foi composta com tipografia EB Garamond
e impressa em papel Pólen Bold 70 g/m² na gráfica Ipsis